DEREK

Infierno y paraíso

BARBARA DUNLOP

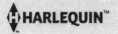 **HARLEQUIN**™

Editado por Harlequin Ibérica.
Una división de HarperCollins Ibérica, S.A.
Núñez de Balboa, 56
28001 Madrid

© 2005 Barbara Dunlop
© 2016 Harlequin Ibérica, una división de HarperCollins Ibérica, S.A.
Infierno y paraíso, n.º 6 - 22.6.16
Título original: High Stakes
Publicada originalmente por Harlequin Enterprises, Ltd.
Este título fue publicado originalmente en español en 2007

I.S.B.N.: 978-84-687-9096-2
Depósito legal: M-8911-2016
Impresión en CPI (Barcelona)
Fecha impresion para Argentina: 19.12.16
Distribuidor exclusivo para España: LOGISTA
Distribuidores para México: CODIPLYRSA y Despacho Flores
Distribuidores para Argentina: Interior, DGP, S.A. Alvarado 2118.
Cap. Fed./Buenos Aires y Gran Buenos Aires, VACCARO HNOS.

Capítulo Uno

–Siempre eres el padrino, pero nunca el novio... –dijo Tyler, el hermano de Derek Reeves, apoyándose en la barandilla de la terraza que había junto a la pista de baile del hotel Quayside.

Su hermanastro Striker había elegido aquella tarde de septiembre para casarse y estaban en mitad de la celebración. De hecho, se oía la música de la orquesta y las risas de los invitados.

Derek sonrió para sí mismo. Debía admitir que se sentía algo confuso al ser el único miembro de la familia Reeves-DuCarter que seguía soltero. Se giró, dando la espalda a la rosaleda, a la fuente de mármol y al lago Washington, y miró a su hermano.

–¿Envidioso? –le preguntó.

Tyler miró hacia adentro, donde su esposa Jenna, con la que se había casado hacía tres meses, hablaba con otras damas de honor.

–En absoluto –contestó con convicción.

Derek dio un trago al agua con hielo que tenía en la mano. Lo cierto era que su cuñada Jenna era una mujer excepcional. También lo era Erin, la recién estrenada esposa de Striker. Sí, eran dos mujeres maravillosas, pero eran esposas y eso significaba que tenían necesidades, demandas y agendas propias, y Derek tenía planeado continuar soltero durante mucho tiempo.

—¿Tienes que conducir? —le preguntó Tyler señalando el vaso de agua que estaba tomando su hermano.

Derek negó con la cabeza.

—Estoy esperando una llamada de Tokio.

—¿Te has venido a la boda de tu hermano con el teléfono móvil?

—Sí, pero lo he apagado durante la ceremonia.

—Desde luego, a ver si conseguimos que vuelvas a la vida un poco y que tengas una vida normal y corriente.

—Si por vida normal y corriente entiendes ponerme un grillete en el tobillo, la respuesta es «no, gracias». Si tu condena te resulta demasiado pesada y la quieres compartir, búscate a otro.

Tyler levantó su vaso de whisky y brindó con sorna.

—Soy feliz estando solo —insistió Derek.

—¿Cómo lo sabes?

Derek frunció el ceño.

—¿Qué clase de pregunta es esa?

—¿Cuándo fue la última vez que tuviste una novia seria?

—Define «seria».

—Que te durara más de ocho horas.

Derek sonrió. Hacía ya tiempo. Eso significaba que su vida iba exactamente como él quería.

–Unos cuantos meses, puede que un año –contestó.

–Te vamos a tener que buscar una chica que le puedas presentar a mamá.

Derek no pudo evitar reírse.

–Te lo digo completamente en serio –insistió su hermano.

–Si quiero encontrar una mujer, ya me la busco yo. No te ofendas, hermanito, pero no necesito que me ayudes en los temas del amor.

–¿Amor? –se burló Tyler–. Querrás decir aventuras de una noche.

–¿Y?

–Y que no sales con las mujeres correctas.

–Te aseguro que una mujer correcta no querría salir conmigo.

Derek había ido a Europa tres meses durante el último mes y tenía que viajar a Japón el día cinco del mes en que estaban. Además, si no encontraba la manera de recuperar el contrato que Hammond Electronics le había arrebatado, tendría que irse a Brasil a desarrollar el negocio de Internet sin cable en las zonas suburbanas.

De alguna forma, se le antojaba que a la mayor parte de las mujeres correctas no les gustaría estar con un hombre así, porque seguro que ellas preferirían una pareja que pasara, por lo menos, la mitad de su vida en América del Norte.

–Nunca se sabe –insistió su hermano–. A lo mejor, consigues que se fije en ti.

–Muchas gracias, pero no creo.

Aquello hizo reír a Tyler.

–Lo cierto es que vosotros, los demás accionistas, deberíais estar agradecidos de que yo haya permanecido soltero.

–¿Por qué?

–Porque, si viviera con una mujer, mi trabajo se resentiría.

Tyler miró a su hermano con pena.

–No me mires así. Sabes perfectamente que las mujeres te hacen perder el norte porque lo único que quieren es que estés pendiente de ellas, que les hagas regalos y que hables de sus sentimientos.

–No todas las mujeres son así. Jenna no es así.

–¿Ah, no? ¿Cuándo fue la última vez que pasasteis una noche separados?

Su hermano volvió a mirar hacia la pista de baile.

–¿Una semana? ¿Un mes? –insistió Derek–. ¿Te has separado de ella desde que te casaste?

–No, pero eso no quiere decir que no pueda hacerlo...

–Ya –se burló Derek, consciente de que se había llevado el gato al agua y decidiendo que había llegado el momento de cambiar de tema de conversación–. Por cierto, ¿te ha comentado Jenna algo sobre la reforma del Lighthouse?

Aquel era el Lighthouse que estaba situado en la última planta del hotel Quayside, que era propiedad de su familia y que estaba siendo reformado por la

6

empresa de Jenna y Candice Hammond, Canna Interiors.

–Lo único que me ha contado es que Candy y tú habéis vuelto a pelearos –contestó Tyler.

–¿Cómo me iba a pelear con ella si he estado en Londres los tres últimos días?

–Debe de ser que ella no se ha dado cuenta de que te has ido, porque ha seguido peleándose contigo.

–Esa es la única manera que tiene de ganarme –murmuró Derek.

–Espero que os deis cuenta de que entre los dos estáis volviendo loca a mi mujer.

–Pues dile a tu mujer que hable con Candy.

No era culpa de Derek que aquella mujer fuera imposible.

–Según Candy, lo quieres controlar todo.

–No es que lo quiera controlar todo, pero me quiero asegurar de que Candice Hammond no dilapida tres millones y medio de dólares.

–La empresa de Candy es una empresa que tiene muy buena fama.

–Lo único que quieren es vengarse de nosotros.

–¿Por qué?

–Porque les mentimos.

–Jenna y yo nos hemos casado y su hermana ya no está enfadada.

–Puede que no esté enfadada contigo, pero conmigo sí lo está.

–Estás paranoico.

La paranoia había sacado a Derek de los problemas varias veces, y era una cualidad que él estimaba muchísimo en un ejecutivo.

–Puede que yo esté algo paranoico, pero eso no quiere decir que ella no quiera vengarse de mí.

–¡Agárralo, Candy! –gritó Jenna mientras Erin tiraba su ramo de novia en la pista de baile del hotel.

Candy hizo una mueca de disgusto al comprobar que el ramo de novia iba directamente hacia ella. Inmediatamente, intentó pasar inadvertida entre las demás mujeres, diciéndose que, cuando tuviera oportunidad de hablar a solas con Jenna, no debía olvidar decirle que, por favor, no llamara más de lo estrictamente necesario la atención sobre su estatus de mujer soltera.

Candy observó cómo el delicado ramo de rosas color crema y orquídeas blancas describía un amplio arco y pasaba de largo sobre el grupo de mujeres que tenía delante.

Desde luego, Erin lo había lanzado con mucha fuerza.

Candy dio otro paso atrás y, luego, otro y otro. Las mujeres que tenía delante estiraron los brazos todo lo que pudieron. Incluso algunas consiguieron rozar con las yemas de los dedos el lazo del ramo, que pasó volando sobre sus cabezas.

Candy se quedó mirando el ramo con los ojos muy abiertos. Aunque se había esforzado en esquivarlo, el enorme ramo iba directamente hacia ella. De hecho, la golpeó en el pecho y Candy no tuvo más remedio que agarrarlo.

–¡Muy bien! –exclamó Jenna acercándose a ella.

–Gracias –contestó Candy.

–Ahora lo único que nos queda es encontrar un hombre para ti.

Candy se puso el ramo en una mano y lo medio escondió detrás del muslo, pues tenía la incómoda sensación de que todo el mundo la estaba mirando. Era como si alguien le hubiera puesto en la frente un cartel en el que se leyera «pringada».

Candy no tenía ningún interés especial en casarse. No era ella la que tenía aquella idea de sí misma, pero los demás parecían tenerla porque, en general, una chica de veintisiete años iba camino de convertirse en solterona si no tenía pareja, como era su caso.

–Veamos –insistió Jenna mirando a su alrededor–. No demasiado alto… mmm… con buena proyección profesional, con paciencia y que tenga sentido del humor, porque tú, desde luego, eres algo... –añadió callando de repente.

–¿Algo qué? –dijo Candy mirando a su amiga y socia.

Jenna no contestó.

–¿Me estás queriendo decir que soy una cascarrabias?

–No, solo un poco… bueno, tienes la habilidad de poner a prueba la paciencia de los demás.

–¿Ah, sí?

En aquel momento, los hombres invitados a la ceremonia se alinearon, pues el novio iba a proceder a lanzar el liguero de la novia.

–Ven, vamos a ver –dijo Jenna agarrando a Candy del brazo.

Candy agradeció inmensamente dejar de ser el centro de atención y pensó que, con un poco de suerte, podría abandonar el ramo de novia en cualquier mesa.

–Yo no creo que sea así.

–Estaba pensando en Derek –contestó Jenna.

Candy puso los ojos en blanco. Jenna y ella llevaban tres meses haciéndose cargo de la reforma del Lighthouse y, desde el principio, aquel hombre se había convertido en su sombra. Era evidente que no la tenía por una profesional en la que se pudiera confiar. Y lo más irónico era que había sido él quien había mentido, y no ella.

–Él sí que es inaguantable.

–Solo cuando tú estás cerca.

Vaya, ahora iba a resultar que era culpa suya.

–Es arrogante, marimandón, altivo y creído.

–Sí, tienes razón, pero todo eso en él es positivo, le ha servido de mucho.

En aquel momento, se oyó un rugido y, al mirar, comprobó que el liguero de Erin estaba volando por los aires. En un abrir y cerrar de ojos, se levantó un brazo y una mano fuerte y potente agarró el liguero en pleno vuelo. El hombre en cuestión no tuvo reparo en darle varias vueltas alrededor de su dedo índice.

Candy pensó que era una suerte que alguien exhibiera con tanta naturalidad su deseo de ser el próximo en casarse.

–A lo mejor lo que te pasa es que necesitas mantener relaciones sexuales –comentó Jenna observando al hombre que había agarrado el liguero.

–¿Cómo dices?

–Después de tres meses casada, te lo recomiendo.

Candy miró estupefacta a su amiga, que señaló con la cabeza al grupo de hombres.

–Estoy segura de que cualquiera de ellos se acostaría contigo encantado...

Candy dio un paso atrás.

–Voy a subir a ver qué tal va el Lighthouse.

–No hay nada que ver. Estamos de fiesta y, además, te estamos buscando pareja.

Eso era lo que Candy no estaba dispuesta a soportar bajo ningún concepto.

–Quiero asegurarme de que han traído los paneles –contestó intentando zafarse de la mano de su amiga, que la tenía bien agarrada del brazo.

–No vas a poder hacer nada antes del lunes –insistió Jenna agarrándola más fuerte.

Candy le quitó los dedos uno a uno.

–Me quedo más tranquila si subo un momento. Anda, vete mirando tú a ver quién te gusta para mí mientras yo subo y bajo.

–¿De verdad? ¿Lo dices en serio? –se emocionó su amiga.

–Claro –contestó Candy.

Lo cierto era que no tenía ninguna intención de volver a la fiesta, así que no tenía problema en que Jenna rastreara el lugar en busca de pareja para ella. En realidad, tampoco tenía intención de subir al restaurante. En cuanto pudiera, saldría del hotel, se montaría en un taxi y se iría a casa.

–Luego nos vemos –se despidió yendo hacia el ascensor.

Por el rabillo del ojo, tenía vigilada a su amiga. En cuanto dejara de mirarla, enfilaría hacía la salida. Todavía no. Su marido se acababa de unir a ella. Los dos la estaban mirando. Tyler parecía encantado. Era obvio que Jenna le había contado que Candy estaba dispuesta a ligar.

Qué humillante.

Candy sonrió y les dijo adiós con la mano. Al llegar frente al ascensor, hizo como que apretaba el botón. Por desgracia, el ascensor estaba allí, así que no tuvo más remedio que montarse.

Las puertas se cerraron y Candy dejó de oír la música de la orquesta y el murmullo de las conversaciones, lo que la hizo suspirar aliviada. Allí dentro, a solas, se estaba muy bien.

Mientras el ascensor subía, Candy se quedó mirando el cielo estrellado de Seattle. Le encantaba aquel hotel. Era cierto que Derek, el mayor accionista, era un terrible dolor de muelas, pero eso no significaba que el lugar no fuera precioso.

Jenna y ella acababan de abrir en la ciudad y no tenían más remedio que aceptar cualquier trabajo de interiorismo que les ofrecieran, pero Candice tenía la esperanza de que, con el tiempo, pudieran especializarse en edificios históricos como aquel, porque tenía muy claro que los inmuebles con historia eran el alma de la ciudad.

Las puertas se abrieron al llegar al piso catorce y Candy decidió hacer un poco de tiempo, así que recorrió el restaurante comprobando que, efectivamente, habían llegado los paneles nuevos.

Desde allí, la vista de la ciudad era espectacular.

Candy paseó la mirada por la estancia, deteniéndose en todos los detalles de la renovación. Todo estaba maravillosamente bien. Puertas antiguas, ventanas de arco, interruptores de luz antiguos, cuadros de época de principios de siglo, manteles blancos, lámparas de araña y vajillas de porcelana.

De repente, se dio cuenta de que algo no estaba bien y se acercó a toda prisa. Al llegar al lugar, consultó los planos de las estanterías de madera que tenían que contener las botellas de vino y leyó la nota a mano que había en una esquina. Tuvo que hacer un gran esfuerzo para no gritar de rabia.

Había dado instrucciones muy precisas sobre las dimensiones de aquel mueble, pero Derek se había saltado su autoridad de nuevo.

Candy arrugó el papel y lo apretó en la palma de la mano. Tenía que pararle de una vez los pies a aquel hombre.

En aquel momento, Candy oyó las puertas del ascensor abrirse y unas pisadas masculinas prudentes y lentas andar por el pasillo. Fenomenal. Jenna le había mandado una pareja. Aquello iba de mal en peor.

Candy avanzó hacia la puerta con la idea de mandar al infortunado al garete, pero, al ver a Derek, dio un paso atrás. Aquel hombre alto, de espalda ancha, complexión atlética, mandíbula prominente, nariz aristocrática y ojos azules y penetrantes conseguía siempre todo lo que se proponía.

Pero no aquella vez.

No con ella.

–¿Qué haces aquí? –le preguntó mirándola con recelo.

–De momento, intentar dilucidar la cuantía de los daños que has ocasionado.

–¿De qué me estás hablando? ¿Qué daños? –se indignó Derek avanzando hacia ella.

Candy se alegró de llevar zapatos de tacón, echó los hombros hacia atrás con la intención de no dejarse intimidar, se cruzó de brazos y señaló con la cabeza el botellero.

–Mira.

Derek así lo hizo.

–Miro y no veo ningún daño.

Candy se tensó.

14

–Claro que no lo ves. Eso es porque no tienes ni idea de lo que estamos haciendo.

–Sé perfectamente lo que estáis haciendo. Estáis reformando mi restaurante.

Candy se acercó al botellero y tocó la base.

–¿Por qué quieres gastar más dinero de la cuenta?

–Te equivocas, lo que estoy intentando es ahorrar dinero.

–Pues te has equivocado.

Derek sonrió con sorna.

–¿Tú crees que me van tan bien los negocios porque no sé cuándo ahorrar y cuándo gastar?

–Yo creo que tienes problemas a la hora de confiar en la gente.

–Confío en la gente.

–Ya.

–Te aseguro que confío en la gente. Por supuesto, siempre y cuando estén bajo mi atenta mirada.

–Te recuerdo que fuiste tú quien me mintió.

–Y te recuerdo que tú amenazaste con gastarte mi dinero.

–Porque nos dijiste que eras Derek Reeves…

–Soy Derek Reeves.

–Una cosa es ser Derek Reeves y otra ser Derek Reeves-DuCarter.

–Tú tampoco me dijiste en ningún momento que fueras Candice Hammond.

Lo cierto era que era extraño que hubieran pasado dos semanas sin que ninguno de los dos se hubiera dado cuenta de quién era el otro. Candy se había pasado toda la vida oyendo hablar de la familia Reeves-DuCarter, había sabido desde siempre que eran los peores enemigos de su padre en los negocios e incluso había coincidido con el padre de Derek en una o dos ocasiones.

Aun así, no se había dado cuenta de que era su hijo.

–Yo nunca mentí acerca de mi identidad –le recordó.

–No, eso es cierto. Fue mi hermano Tyler, que se guardó esa información para él.

–Pues entonces págala con tu hermano y a mí déjame en paz.

–No puedo dejarte en paz.

–¿Por qué?

–Porque estás muy enfadada conmigo. Lo suficiente como para dilapidar mi dinero.

–Soy toda una profesional y, precisamente, tengo que estar pendiente de ver dónde has metido la pata para que no te cueste un dineral.

Derek negó con la cabeza y se rio.

–¿Sabes cuánto cuesta el mármol? –le espetó Candy señalando la base del botellero.

–¿Y?

–¿Y? Para empezar, les has dicho que construyeran la base dos pies más grande de lo que es en realidad. Eso es tirar el dinero, porque la van a tener que volver a hacer.

–No, no la van a tener que volver a hacer. No

he cambiado las dimensiones del botellero, sino el lugar. Lo he movido.

–Si te hubieras molestado en consultar el proyecto, habrías visto que el botellero va apoyado en la pared.

–Me he molestado en consultar el proyecto. Me dijeron que querías rehacer una pared entera por dos pies.

Candy enarcó las cejas. Era obvio que aquel hombre no comprendía nada.

–¿Qué me quieres decir con eso?

–Das miedo... –contestó Derek.

Candy dobló una rodilla. Al hacerlo, el dedo gordo del pie se le enganchó en el dobladillo del vestido y estuvo a punto de perder el equilibrio. Derek se apresuró a agarrarla del brazo.

Al sentir su mano en la piel, Candy se estremeció de pies a cabeza. Al instante, apretó los dientes.

–La única persona aquí que da miedo eres tú –le espetó.

–¿Lo dices porque te sujeto cuando te vas a caer? –le dijo Derek casi al oído.

Candy se apresuró a apartarse de él. No quería ni recordar la última vez que Derek la había tocado, la última vez que le había hablado así, la última vez que la había hecho sentir así. Había sido hacía tres meses, justo el mismo día en el que se había enterado de que Derek Reeves era un fraude y de que Tyler estaba espiando a Jenna.

Candy se apresuró a apartar de su mente aquel recuerdo apartándose de Derek.

–¿Quieres un restaurante de cinco tenedores o un comedor?

–Por supuesto, un comedor –se burló Derek.

–Si sigues así, desde luego, es lo que vas a conseguir.

–Qué melodramática eres.

–Y tú qué ingenuo.

Derek la miró con los ojos muy abiertos.

–Para que lo sepas, la persona que ha diseñado el botellero es un artista. Él es quien ha hecho el diseño de mármol. Ya hemos comprado cuadros para la pared. El diseño del mármol va perfectamente con las columnas, enfatizando el atrio y las ventanas...

–No dudo de tu visión artística, pero yo tengo la obligación de controlar los gastos.

–Tú lo único que quieres es cargarte toda la reforma.

–No, yo lo que quiero es que el precio de las acciones de mis empresas no se desplome cuando los mercados financieros se enteren de lo que te estás gastando en un botellero.

–Es el centro de la estancia...

–Derek… –dijo una voz a sus espaldas.

Candy cerró la boca al ver aparecer a Tyler Reeves.

–¿Me dejas el teléfono móvil, por favor?

Candy se quedó mirando a los hermanos. Ambos eran altos y fuertes, los dos tenían el pelo oscuro y los ojos azules, aunque Tyler era más delgado y parecía mucho más feliz que Derek.

–¿Acaso la fiesta se va a trasladar aquí? –preguntó Candy.

Una cosa era que ella se escaquease de la fiesta pues, al fin y al cabo, era una invitada más, pero Derek y Tyler eran los hermanos del novio.

–Tengo que hacer una llamada –insistió Tyler.

Derek lo miró confundido, pero se sacó el teléfono móvil del bolsillo y se lo entregó.

–Gracias –contestó su hermano yendo hacia la puerta.

–De nada –contestó Derek.

Candy se preguntó por qué Tyler no habría utilizado uno de los teléfonos del hotel. Los había a cientos. Para entonces, Tyler ya estaba en la puerta, girado hacia ellos, mirándolos muy serio.

–Entre los dos, no paráis de darle disgustos a mi mujer –les espetó.

–¿Cómo? –contestó Candy.

Cuando se había ido, Jenna estaba de maravilla. Era imposible que fuera tan importante para su amiga que ella tuviera una cita o no. No era como para disgustarse.

–He decidido que necesitáis pasar tiempo juntos para resolver vuestras diferencias –declaró Tyler cerrando la puerta doble en un abrir y cerrar de ojos.

Derek se plantó ante la puerta en tres zancadas.

–¡Tyler, devuélveme el teléfono! –le gritó a su hermano.

–Jenna me sugirió que os vendría bien un tiempo muerto, y a mí me ha parecido bien –contestó Tyler desde el otro lado de la puerta.

–¿Tiempo muerto para qué? –preguntó Derek.

–Como en el colegio. Sois como dos niños pequeños, así que os vamos a tratar como a tales. Tenéis hasta el lunes por la mañana, cuando lleguen los obreros, para hacer las paces.

Capítulo Dos

¿Hacer las paces?

Candy miró Derek y cerró los ojos.

–¿Cómo que hasta el lunes?

Derek apretó los labios y no contestó. Candy se giró hacia la puerta y comprobó que estaba cerrada con llave. ¡Tyler los había encerrado en el restaurante!

–¡Tyler! ¡Tyler! –lo llamó.

No obtuvo respuesta.

Derek suspiró exasperado.

–Se ha ido –declaró.

–Pero volverá –contestó Candy esperanzada–. Seguro que todo esto es una broma.

–A mí no me lo parece.

–Jenna no permitiría que nos dejara aquí.

–¿Y qué te hace pensar que ella lo sabe?

–Bueno… eh…

Buena pregunta.

–No creo que se lo diga –dijo Derek.

–Pero es su esposa –protestó Candy–. Están casados y se supone que, cuando te casas, no le puedes mentir a tu cónyuge, ¿no?

Derek se acercó también a la puerta, suspiró, sacudió la cabeza en actitud compasiva y le habló en voz baja.

–Candy, Candy, Candy...

–Te he dicho que no me llames así.

–Mi hermano cree que está salvando a su esposa.

–Por tu culpa.

–¿Cómo que por mi culpa?

–Jenna está disgustada porque no paras de hacerme la vida imposible, porque no paras de minar mis indicaciones.

–Te recuerdo que tengo derecho de veto.

–Sí, ya lo he visto. Sobre el color de la tarima, sobre los revestimientos, y ahora, sobre las dimensiones del botellero.

Si Derek le hubiera permitido hacer su trabajo, no estarían en aquella situación. Candy era una mujer con la que era fácil llevarse bien.

–Sobre lo que a mí me dé la gana –contestó Derek.

–Te estás pasando.

–No me has dejado más remedio. Me amenazaste con llevarme a la quiebra.

–Eso no es cierto –protestó Candy cruzándose de brazos–. Soy una profesional.

–Me dijiste literalmente: «Hemos firmado un contrato de tres millones y medio de dólares y tengo intención de gastarme hasta el último centavo».

Candy se revolvió incómoda.

–Eso lo dije porque estaba disgustada –admitió ella.

Desde luego, no había sido muy profesional por su parte, pero Derek la sacaba de quicio.

–De buenas, todos somos muy profesionales. Se sabe cuándo una persona es profesional cuando las cosas van mal.

–A mí me parece que las cosas iban mal. Tu hermano y tú nos habíais mentido, estabais conspirando contra nosotras, nos habíais ocultado vuestras identidades…

–Tyler estaba en una misión.

–Sí, y también se estaba acostando con Jenna.

–Ella parece haberlo perdonado.

–Merecía que lo perdonara.

–¿Y yo no?

–Tú sigues siendo un problema, Derek.

–Pues ahora estás encerrada en el restaurante con el problema, Candy.

–Candice.

Derek sonrió.

–Bueno, ya seguiremos discutiendo cuando hayamos salido de aquí.

–Buena idea –contestó Candy–. ¿Tienes la llave maestra?

–No creo que sirva para esta cerradura.

–Pero si es la llave maestra.

–Sí, pero esta puerta y esta cerradura son antiguas y únicas. Hace años que no cerramos el restaurante con llave.

–¿Y si la rompemos? –dijo Candy.

–Es de roble macizo y, además, ¿no me habías

23

dicho que la puerta era el eje central de la sala o algo así?

–Efectivamente.

Sería una pena romper una puerta así, pero Candy estaba empezando a sentir claustrofobia. No era porque la sala fuera pequeña. De hecho, era enorme. El problema era que Derek estaba demasiado cerca.

De repente, a Candy se le ocurrió una idea.

–Hay una puerta en la cocina –anunció cruzando el salón.

–Sí, pero está inutilizada porque han puesto la cámara frigorífica –contestó resignado Derek a sus espaldas.

–Vamos a ver.

–Pierdes el tiempo –insistió Derek siguiéndola.

–Pesimista.

–Realista.

–Aguafiestas –declaró Candy al ver que, efectivamente, una inmensa cámara frigorífica imposible de mover bloqueaba la salida–. Estoy segura de que Jenna no tardará en subir.

–¿Tú crees?

–Sí, en cuanto se dé cuenta de que no estamos abajo.

–A lo mejor no se da cuenta. Dicen que, cuando os casáis, las mujeres solo tenéis ojos para vuestros maridos.

–No es mi caso –contestó Candy.

–No me sorprende.

Candy intentó mover la cámara frigorífica.

–No pienso quedarme aquí hasta el lunes. Tengo muchas cosas que hacer.

–¿Y te crees que yo no?

–Pues no lo sé, pero, por tu actitud, no lo parece –contestó Candy empujando con más fuerza.

–Candy…

–Que no me llames así.

–Pesa una tonelada.

–Enclenque.

–No, no soy enclenque –contestó Derek sacando la garantía de la cámara de uno de los cajones–. Aquí lo dice. Pesa exactamente una tonelada. A veces, hay que aceptar la derrota.

–Me pregunto cómo has llegado a ser millonario con esa actitud.

–Y yo me pregunto cómo consigues que no se te vayan los clientes.

–Yo soy una persona de lo más razonable.

–Pero si estás intentando mover una cámara frigorífica de una tonelada…

Aquello hizo sonreír a Candy.

–¿Y qué?

–No es muy razonable por tu parte, ¿no?

–¿Tú crees que estamos atrapados?

–Sí, completamente.

–¿Tú y yo aquí toda la noche? –exclamó Candice presa del pánico.

No, no podía ser. ¡Derek y ella toda la noche juntos!

–¡Tenemos que salir de aquí!

Desde luego que tenían que salir de allí.

Derek tenía un montón de trabajo y, además, Tyler estaba a punto de recibir una llamada de Ray Yamamoto, pero lo peor era que estar cerca de Candy era peligroso. Treinta y seis horas a su lado. Podría ocurrir cualquier cosa, estaba fantástica con aquel vestido morado tan apretado.

No era la primera vez que Derek se sentía atraído por ella. Candice Hammond era una mujer inteligente, alegre, una mujer que lo hacía pensar, sentir y anhelar.

Pasar la noche con ella, los dos solos, era una locura, un suicidio.

–Voy a ver si encuentro las herramientas de los obreros –declaró.

–¿Para qué?

–Para ver si puedo sacar la puerta de las bisagras.

–Buena idea.

–Vaya, ¿un cumplido?

–Que no se te suba a la cabeza.

Derek chasqueó con la lengua y volvió al salón. Una vez allí, miró por todas partes en busca de las herramientas. Sabía que los obreros solían recogerlas para el fin de semana, pero tenía la esperanza de que hubieran dejado alguna.

–¿Ha habido suerte? –le preguntó Candy desde la cocina.

Se había quitado los zapatos y a Derek le pareció de lo más sensual verla descalza. Además, se le

26

habían salido varios mechones de pelo del recogido que llevaba, lo que le confería un aire de lo más sexy.

—De momento, no —contestó Derek.

—¿Por qué se le habrá ocurrido a tu hermano hacer esto?

—Para proteger a Jenna —contestó Derek.

Estaba intentando justificar a su hermano, pero lo cierto era que lo que había hecho no tenía perdón posible.

—No tiene que proteger a Jenna de mí. Soy su socia y su amiga. Incluso fui su madrina de boda.

—Tu relación con ella no es problema. El problema es cómo nos llevamos tú y yo. Ese es el problema. Nuestra relación.

—Entre tú y yo no hay ninguna relación —contestó Candy acercándose.

—Jenna está harta de que nos peleemos. Ponte los zapatos.

—No puedo. Tengo los pies hinchados y no me entran.

—Pues, entonces, siéntate —le indicó Derek ofreciéndole una silla junto al ventanal—. Lo último que nos hace falta es que te cortes o algo.

—El perfecto caballero.

Derek colocó otra silla y una mesa.

—Efectivamente.

Candy cruzó la estancia y se sentó. A Derek le sorprendió y le agradó que, por fin, hiciera algo de lo que le pedía.

–¿Has encontrado algo que nos sirva?

–Nada. Nadie se ha olvidado el destornillador.

–¿Y no podríamos romper la puerta?

–¿De verdad quieres romperla?

–No –suspiró Candy–. Es una puerta preciosa.

Los dos permanecieron en silencio un rato.

–¿Tú crees que la cosa estaba tan mal entre nosotros como para merecernos esto? –le preguntó Candy.

–Mi hermano ha exagerado.

–A lo mejor se da cuenta y vuelve dentro de un rato.

–A lo mejor –contestó Derek, aunque no lo creía así.

–Genial. ¿Qué hacemos mientras esperamos? –preguntó Candy mucho más tranquila.

–¿Tienes hambre? –le preguntó Derek.

Candy lo miró confusa.

–Te recuerdo que estamos en un restaurante.

–¿La cocina funcionará?

–Sí, yo creo que sí –contestó Derek poniéndose en pie.

A lo mejor, estaba equivocado y en un par de horas su hermano acudía a liberarlos. Hasta entonces, era absurdo pasar hambre.

–¿Y tú sabes utilizar esa cocina? Parece muy complicada –objetó Candy.

–Si tienes hambre, te preparo algo.

–¿De verdad?

–No, te estoy tomando el pelo.

–No me extrañaría.

–Venga, te llevo en brazos –contestó Derek acercándose.

–No, gracias.

–Mira, Candy, ya tenemos bastantes problemas. No quiero que te claves un clavo en la planta del pie.

–¿Un clavo? –se asustó Candy.

–Estamos en un edificio en obras –le recordó Derek.

–En ese caso, está bien –cedió Candy dejando que Derek la tomara en brazos.

Al cabo de un par de segundos, se relajó y se apoyó en su pecho. Derek sentía sus dedos en la nuca, su trasero en la tripa, y su piel era cálida.

–¿Puedo hacer un comentario obsceno? –bromeó Candy.

–No a no ser que te quieras encontrar en una postura obscena en un abrir y cerrar de ojos.

Candy bajó la mirada y permaneció callada y Derek se dio cuenta de que, cuando la hacía sentirse sexy, se recataba.

No debía olvidarlo.

Candy sentía los poderosos músculos de Derek contra su cuerpo, cerró los ojos y aspiró aire profundamente. Al instante, la sensualidad se apoderó de ella. Aunque Derek era un hombre pomposo y marimandón, también era muy sensual.

La resistencia pronto se tornó deseo.

Desgraciadamente, Derek la dejó sobre el suelo de azulejos de la cocina. Se produjo una mirada entre ellos muy breve pero intensa y elocuente que hizo que Candy tuviera que aguantar el aliento, pero Derek parpadeó y volvió a su expresión neutra de siempre.

Al instante, se giró, abrió la cámara frigorífica y entró. Candy lo siguió diciéndose que no debía permitirse tener fantasías con Derek.

Aquel hombre era todo lo que su madre siempre le había advertido que no debía buscar en un hombre. Era un tiburón al que solo le interesaba ganar dinero y tener poder.

–Muy bien. Tenemos para elegir entre *filet mignon,* conejo, salmón, chuletas de cordero... –sugirió Derek.

–¿Sabes cocinar todo eso?

–Claro. ¿Tú no?

Candy había crecido en una casa en la que había doncella y cocinera, así que no había necesitado nunca aprender.

–Se me da muy bien calentar en el microondas –contestó.

–¿Tomas comida preparada? –le preguntó Derek mirándola con disgusto.

–No siempre –contestó Candy muerta de frío–. Cuando voy a casa de mis padres, Anna-Leigh prepara comida de sobra y me la llevo.

–Qué patético –contestó Derek quitándose la

chaqueta del esmoquin y poniéndosela por los hombros.

Candy hizo ademán de quitársela.

—No seas tonta.

—Estoy bien.

—Pero si te castañetean los dientes de frío.

—Eso es porque estoy en una cámara frigorífica.

—No seas cabezota –suspiró Derek.

—No seas cabezota tú.

—Si aceptas la chaqueta, te preparo la cena –insistió Derek.

—Trato hecho –aceptó Candy metiendo los brazos por las mangas de la prenda.

Al instante, sintió el calor del cuerpo de Derek, que todavía estaba impregnado en la tela, y tuvo que admitir para sí misma que era una sensación maravillosa.

Derek se arremangó y siguió inspeccionando la cámara.

—¿Ni siquiera sabes freír un filete?

—No me gustan los filetes –contestó Candy.

—¿Qué te gusta?

—El marisco.

—Mmm… Mira, tenemos langosta… Anda, busca la mantequilla, que yo voy a encender el horno.

—¿De verdad que vas a hacer langosta? –preguntó Candy impresionada.

—Claro que sí –contestó Derek saliendo de la cámara y cerrando la puerta tras ellos.

—¿Tú de pequeño no tenías cocinera en casa?

–Sí, pero sé leer una receta. Anda, busca mantequilla y... bueno, ya me encargo yo de las especias –añadió al ver que había cajas de cosas sobre todas las encimeras.

Para cuando Candy volvió con la mantequilla, Derek había encendido el fuego y estaba removiendo algo.

–¿Qué es eso? –preguntó Candy.

–Chocolate.

–¿Vas a hacer langosta con chocolate?

–No, estoy preparando *mousse* de chocolate de postre –sonrió Derek.

–No me lo puedo creer.

–Ya veo que no confías mucho en mí.

–Es que siempre me has parecido un prepotente malcriado y resulta que… –Candice se mordió la lengua.

Derek le estaba preparando una cena maravillosa y no era el momento de insultarlo.

–Así aprenderás a no sacar conclusiones apresuradas –dijo Derek.

–Teniendo en cuenta que durante los últimos tres meses hemos pasado mucho tiempo juntos, creo que no son apresuradas.

–Para bailar un tango hacen falta dos personas.

Candy se imaginó de repente bailando el tango con Derek allí mismo y tuvo que hacer un gran esfuerzo para apartar aquellas imágenes de su cabeza.

–Al principio, discutiste conmigo por el color de la tarima –señaló.

–Tú fuiste la que discutiste.

Candy no estaba dispuesta a dar su brazo a torcer.

–¿Miel? La madera natural iba mucho mejor con el conjunto y es solo medio tono más clara que la que tú querías.

Derek removió lentamente el chocolate.

–El tono miel es solamente medio tono más alto que el que tú querías.

–No es lo mismo –contestó Candy apretando los dientes.

–Es exactamente lo mismo.

Derek no comprendía nada.

–¿Y qué me dices de los revestimientos?

–El que has elegido era solo media pulgada más grueso que el mío –contestó Derek sacando las colas de langosta de la caja y metiéndolas en el horno.

–Aunque no lo creas, media pulgada se nota mucho –insistió Candy.

–Sí, sobre todo en el precio.

–¿Por qué te tomas todo tan a pecho?

–¿Por qué te lo tomas tú?

–Porque soy la decoradora y mi trabajo consiste en preocuparme por los detalles.

–Yo soy el dueño del hotel y mi trabajo consiste en vigilar el presupuesto.

–No me voy a salir de él.

–No, pero tampoco vas a permitir que sobre mucho.

–Para eso está precisamente el presupuesto. Te

voy a hacer el restaurante más increíble que pueda dentro del presupuesto que tú me diste.

–Nadie se va a dar cuenta del grosor del revestimiento.

–Puede que no, pero...

–¿Lo ves? –dijo Derek removiendo el chocolate–. ¿Para qué te vas a gastar el dinero en algo que la gente no va a apreciar?

–La gente no se va a fijar concretamente en el revestimiento, pero sí va a apreciar el resultado final del conjunto. Pasa lo mismo con el botellero. Desde luego, ningún cliente va a entrar y va a decir: «Mira, cariño, el diseño de la tapa de mármol del botellero va perfectamente con el conjunto de la sala». Por supuesto que no, pero, inconscientemente, se darán cuenta. Entre un restaurante de cuatro estrellas y un restaurante de cinco estrellas las diferencias son muy sutiles –le explicó Candy cruzándose de brazos–. Hazme caso, muñeco, y te haré llegar a las estrellas.

Derek dejó de remover el chocolate y se quedó mirándola. Candy se dio cuenta al instante de que la miraba con deseo.

–Me encantaría llegar a las estrellas contigo, pero no creo que sea buena idea porque, profesionalmente, no nos entendemos bien.

Candy se sonrojó de pies a cabeza.

–Me refería a que...

Derek chasqueó con la lengua.

–No te preocupes, sé perfectamente a lo que

te referías, pero es que, a veces, te pones a tiro y me resulta imposible dejar pasar la oportunidad... Mira, estoy dispuesto a ceder en lo de la madera si tú cedes en los revestimientos.

Candy parpadeó, pues no había pensado ceder en nada.

—Pero los revestimientos son...

—Una diferencia de varios miles de dólares. No es mucho pedir a cambio de unos milímetros, ¿no? ¿Trato hecho?

Candy se quedó en silencio. No era lo que más le apetecía, pero pensó que podría salir bien.

—Cedo en lo de los revestimientos, pero me dejas que elija yo la madera y la pintura.

—¿Pretendes que te deje elegir todas las maderas y todas las pinturas a cambio de unos milímetros de revestimiento?

—Tú acabas decir que eran miles de dólares —le recordó Candy.

Derek sonrió.

—Trato hecho —contestó dándole a probar el chocolate—. ¿Qué te parece?

Candy se echó hacia delante y probó la salsa con la punta de la lengua. Al instante, la sensualidad del chocolate envolvió su boca.

—Está superior —declaró cerrando los ojos.

—Gracias —contestó Derek en un susurro.

Capítulo Tres

–¿Te has planteado trabajar como chef? –dijo Candy tomando otro bocado de su deliciosa langosta y sonriendo encantada.

Derek sonrió también, orgulloso.

–¿Y abandonar mi incipiente carrera como decorador de interiores? –bromeó.

–No te ofendas, pero creo que te iría mejor en la cocina.

–Vaya –suspiró Derek en tono de broma.

Era la primera vez en muchas semanas que había tenido tiempo de cocinar, la primera vez en varios meses que no había tenido que salir corriendo a una reunión o a una conferencia después de cenar. Después de todo, le iba a tener que dar las gracias a su hermano por haberlo encerrado allí con Candy.

–Sí, lo siento, pero es cierto. Como decorador no tienes futuro. Debes aceptar la derrota con dignidad y gracia –sonrió Candy.

–Tú lo que quieres es que te deje en paz con tu proyecto de reforma del restaurante, ¿verdad? –comentó Derek dándole un trago al vino.

–Exactamente –asintió Candy–. Deberías dedicar tu energía y tu dinero a otra cosa.

–Tú lo que quieres es que gane más dinero para poder gastártelo en este proyecto.

–Veo que nos vamos entendiendo –sonrió Candy acercándose.

Al hacerlo, la luz de las velas se reflejó en sus ojos verdes. Por enésima vez aquella noche, Derek quedó encandilado por su belleza.

–Podríamos tener una relación simbiótica –comentó Candy.

Al instante, Derek sintió que el deseo se apoderaba de él.

–¿Me estás proponiendo algo?

–Simbiótica quiere decir que habría beneficio mutuo –le aclaró Candy.

–Ya lo sé –contestó Derek.

Se le ocurrían un montón de cosas que hacer con ella en aquellos momentos que podrían entrar dentro de la categoría de beneficio mutuo.

–Te cambio la alfombra por las molduras –aventuró.

Lo había dicho por decir, sin pensar. Candy tenía la chaqueta, su chaqueta, abierta y, en el transcurso de la velada, el vestido morado había ido cayendo hasta que el escote había bajado tanto que casi se le veía el pecho.

–¿La alfombra por las molduras? –se sorprendió Candy.

Se había sorprendido tanto que había dado un respingo y, al hacerlo, el vestido se había tensado. A Derek le pareció que le había visto hasta una areola.

Derek asintió y se apresuró a darle otro trago al vino.

–¿La alfombra Safavid hecha a mano?

–Sí.

–No te arrepentirás.

Ya se estaba arrepintiendo. La mayor parte de sus clientes no podrían diferenciar una Safavid de una alfombra de nailon. Desde luego, en aquella ocasión, Candy se había salido con la suya, pero solamente porque estaba utilizando sus pechos como herramienta de negociación. Claro que ni se había dado cuenta.

–Hablemos de las luces –propuso Derek.

Tenía ganas de que la balanza se inclinara de su lado.

–No pienso consentir que toques el candelabro de bronce y cristal –le advirtió Candy.

–Te he dado la moqueta que querías.

Candy negó con la cabeza y se puso en pie.

–¿Qué haces?

–Voy a por servilletas.

–No, ya voy yo. No quiero que te cortes –dijo Derek poniéndose en pie y volviendo rápidamente con un manojo de servilletas de papel blanco.

–¿Qué haces? –le preguntó Derek al ver que garabateaba algo en una de ellas.

–Poner por escrito las modificaciones que estamos haciendo para incluirlas en el contrato –contestó Candy–. Los revestimientos a cambio de la tarima y las molduras a cambio de la alfombra.

Derek observó mientras Candy escribía.

–Firma aquí –le indicó ella.

–Esto es ridículo.

–Está fechado y firmado por los dos. Si fuéramos a juicio, tendría validez.

–Pero no vamos a ir a juicio.

–No pienso arriesgarme ni jugarme la alfombra Safavid.

–Soy un hombre de palabra.

Candy se cruzó de brazos y sonrió.

–Entonces no te importará firmar, ¿verdad?

Y Derek firmó porque Candy se había cruzado de brazos y la vista era espectacular.

–Perfecto –sonrió Candy recogiendo la servilleta–. ¿Hay algo más que te interese que tratemos?

Derek decidió en aquel mismo instante que, la próxima vez que tuviera una dura negociación entre manos, se llevaría a aquella mujer con él.

–Las luces –insistió apartando la mirada de su escote para no dejarse vencer de nuevo.

–El candelabro de bronce y cristal tiene carácter e historia –le explicó Candy–. Cuando los clientes entren en este restaurante, eso será lo primero que vean. Quiero que se sientan completamente encandilados por el glamour y el estilo clásico del entorno. El candelabro realzará…

–Es una luz… –la interrumpió Derek.

–No es solo una luz –protestó Candy indignada.

–Cuando vi lo que costaba, casi me caigo de la silla.

–Es una antigüedad.

–Pues compra una de imitación. Nadie se dará cuenta. Nadie lo sabrá.

–Tú lo sabrías.

–A mí me dará igual. Estaré muy ocupado gastándome el dinero que nos habremos ahorrado.

Candy se inclinó hacia delante. Al hacerlo, Derek pensó que enseñar así el escote debería ser ilegal. Seguro que, si se lo decía, se cubriría.

No… ¿para qué?

–Yo sabría que no es una pieza verdadera –dijo Candy.

–¿Y? ¿Te quitaría el sueño?

–Por supuesto que sí. Los críticos gastronómicos se darían cuenta –contestó Candy sonriendo con aire triunfal–. ¿Quieres que digan que en tu restaurante hay reproducciones baratas o antigüedades de verdad?

Derek no contestó.

–Te doy los azulejos –le ofreció Candy–. Los azulejos a cambio del candelabro.

–Los azulejos me gustan.

–Genial –contestó Candy escribiendo de nuevo en la servilleta.

–¿Qué estás poniendo?

–Que yo me quedo con el candelabro y tú con los azulejos.

–Pero…

–Anda, ve a por el *mousse* de chocolate, que no quiero cortarme un pie –sonrió Candy con dulzura.

–Esto no es justo –comentó Derek mientras Candy se deleitaba con el *mousse* de chocolate.

–¿Por qué?

–Porque te has salido con la tuya en las dos últimas negociaciones.

–Bueno, te está bien empleado por distraerte…

Derek la miró sorprendido.

–Estabas demasiado pendiente de mi escote.

–¿Lo sabías?

–Por favor…

Aquel hombre cocinaba de maravilla, pero, en cuanto veía un escote que le gustaba, estaba perdido.

–Eso es trampa –la acusó.

–¿Cómo?

–Deberías haberte tapado.

–Habérmelo pedido. Como no lo has hecho, me he salido con la mía y ahora tengo una lámpara de cincuenta mil dólares.

–Por cincuenta mil dólares, podría haberte pedido que te desnudaras.

–No está en el contrato, lo siento.

–Más lo siento yo.

Candy se rio.

–Derek, es solo un escote. Todas las mujeres que había hoy en la boda iban vestidas más o menos como yo.

–Mi madre y mi tía Eileen, no.

–Está bien. Todas las mujeres de menos de cincuenta años.

–No es lo mismo.

–¿Estás intentando flirtear conmigo? –le espetó Candy de repente.

Derek la miró a los ojos en silencio.

–¿Quieres que lo haga?

Candy dio un respingo, alarmada.

–Lo que quiero son butacas de cuero para el salón.

–Eso está fuera del presupuesto.

–¿Cómo lo sabes?

–Porque tengo una memoria prodigiosa –contestó Derek tocándose la frente–. Recuerdo perfectamente lo que cuesta la mano de obra.

¿Ah, sí?

Candy se quitó un par de horquillas del pelo y dejó que su melena le cayera sobre los hombros. A ver si, así, Derek reconsideraba lo de las butacas de cuero...

Derek se quedó observándola en silencio, siguiendo con la mirada los movimientos que hacía Candy.

–Eso ha estado bonito, pero no te va a servir de nada.

–No me he soltado el pelo para intentar convencerte de nada –mintió Candy–. Lo que pasa es que estoy cansada porque son ya más de las doce de la noche.

–Ya… eso también te ha quedado muy bien, pero tampoco te va a dar resultado.

–¿Cuánto hace que no sales con una mujer?

–¿Cómo?

–Estás muy susceptible.

–De eso, nada.

–Ya.

Candy metió el dedo índice en el *mousse* de chocolate y se lo llevó a la boca. A continuación, se pasó la lengua en movimientos circulares varias veces alrededor del dedo y se lo sacó lentamente de la boca. Había visto aquella escena en una película y, por lo visto, a Derek le estaba impresionando.

–Para –le ordenó.

–¿Qué te pasa? –contestó Candy con aire inocente y dispuesta a volver a meter el dedo en el *mousse*.

Derek se lo impidió agarrándola de la muñeca.

–Estás jugando con fuego –le advirtió.

–Solo me estoy tomando el postre.

Derek la miró a los ojos con intensidad. Candy sintió que el pulso se le aceleraba. ¿Qué demonios estaba sucediendo? Estaba encerrada con aquel hombre y se estaba comportando como una sirena.

–Perdón –murmuró–. Ahora mismo paro.

–Buena decisión –contestó Derek soltándole la muñeca.

–Lo siento –insistió Candy.

–No pasa nada –contestó Derek encogiéndose de hombros–. Estoy bien.

Pero no era cierto, y ambos lo sabían.

Una cosa era que Candy hubiera sabido que llevaba el escote bajo y no hubiera hecho nada para remediarlo y otra hacer promesas con su lenguaje corporal que no iba a cumplir.

Derek Reeves era su cliente y el comportamiento que acababa de tener con él no era profesional en absoluto por su parte.

Cuanto antes terminara aquella velada, mejor.

–¿Qué tal has dormido? –le preguntó Candy a Derek a la mañana siguiente.

–No muy bien –contestó Derek sinceramente.

Candy había improvisado una cama utilizando una alfombra vieja y manteles. Se había ofrecido a compartirla con él, pero Derek se había negado rotundamente.

–¿Qué haces?

–Tostadas.

Había encontrado pan y naranjas y había preparado el desayuno, que ofreció a Candy mirándola por encima de la cabeza para no volver a perder la suya, porque lo que había ocurrido la noche anterior había sido penoso y no se podía volver a repetir.

–Me tienes impresionada con tus sorpresas –sonrió Candy.

–¿Quieres que te dé otra sorpresa?

–Claro, me encantan las sorpresas.

–Sígueme –le dijo apagando el fuego, poniendo el pan en un plato y perdiéndose por el pasillo.

–¿Adónde vamos?

–Sígueme.

–¿Por qué tanto misterio?

–Ya lo verás.

–¿Has encontrado una salida?

–No, pero he encontrado algo bueno.

–¿De qué se trata? –insistió Candy mientras Derek abría la puerta de un armario.

–Cepillos de dientes, pasta dentífrica, gel de baño, desodorante y toallas –contestó Derek.

También había preservativos, pero eso no lo mencionó.

–¿Y los podemos utilizar?

–Por supuesto.

–Dios mío, qué placer –sonrió Candy encantada.

Candy parecía realmente feliz. Derek no se sentía así en absoluto. Tenía una mujer preciosa muy cerca de él y no podía tocarla. Qué pesadilla.

–El baño de hombres no funciona, así que tendremos que compartir el de mujeres –anunció Derek–. Pasa tú primero.

–Gracias.

Una vez en el baño, Candy se desnudó y se aseó como mejor pudo con ayuda de una toalla y de agua y jabón. Le fue tan bien que incluso se animó a lavarse el pelo. Cuando terminó, lavó sus braguitas y sus medias y las colgó en el último rincón del baño. Allí, Derek no las vería.

Derek…

Una cosa era luchar con él por el proyecto de reforma y otra luchar consigo misma porque aquel hombre despertaba su deseo más pasional.

Tenía que tener cuidado.

–Muy bien, te voy a proponer algo muy gordo –comentó Candy.

–¿Muy gordo? –se asustó Derek.

Hacía más de una hora que habían llegado al millón de dólares y Derek debía admitir, humillado y apesadumbrado, que Candy había ganado casi todas las negociaciones, pero ¿qué iba a hacer un hombre cuando negociaba con una mujer que no llevaba bragas?

Al entrar en el baño, las había visto colgadas, secándose. Obviamente, Candy había intentado ocultarlas porque las había colgado en el último rincón, pero Derek era más alto y las había visto.

Aquello quería decir que la mujer que tenía sentada frente a él no llevaba nada bajo el vestido y aquello lo distraía de la negociación constantemente.

–Quiero mover el botellero –anuncio Candy.

–Bajo ningún concepto –contestó Derek.

–Pero…

–¡Que no!

–Derek, sé razonable, no está en el lugar perfecto. Hay que moverlo.

–¿Por veinticuatro pulgadas?

–Exacto.

–No.

–Pero arruina el conjunto de la estancia –se quejó Candy.

Derek se quedó mirándola en silencio. Había cedido con la alfombra, las luces, los manteles e incluso con los uniformes de los empleados, pero aquello era demasiado.

–No –insistió.

–¿Qué quieres a cambio?

Derek no contestó.

–Seguro que hay algo que te apetezca.

Sí, pero no lo iba a decir.

Había una cosa. Un favor que se le había ocurrido aquella noche. No, no era tenerla para él solo durante dos meses desnuda en una isla tropical, aunque aquello tampoco estaría mal. Se trataba de un favor personal que no tenía nada que ver con el restaurante.

–Muy bien. ¿Estás segura de que quieres que te lo diga?

Candy asintió.

Derek se arrellanó en la silla y echó los hombros hacia atrás. A continuación, agarró el montón de servilletas de papel en el que estaban reflejadas las negociaciones que habían hecho en más de veinticuatro horas.

–Nos olvidamos de esto. Las rompemos y nos olvidamos.

–No –contestó Candy sorprendida.

–A cambio, te doy carta blanca.

–¿Qué quieres decir?

–Que podrás hacer y gastar lo que quieras.

–¿Cómo? –se sorprendió Candy–. ¿Y qué quieres a cambio?

Derek no contestó inmediatamente, y Candy lo miró con recelo.

–No estaba pensando en sexo –le aclaró.

–Yo tampoco –contestó Candy.

–Ya…

Candy sonrió.

–Bueno, confieso que se me había pasado por la cabeza, pero solo un momento.

Derek también sonrió.

–Quiero que me lleves a tu casa y que me presentes a tu padre.

Candy se quedó mirándolo en silencio.

–¿Por qué?

–Por el contrato con Enoki Electronics.

–No puedo obligar a mi familia a firmar un contrato contigo.

–No te estoy pidiendo eso.

–Yo solo tengo el cinco por ciento de la empresa, Derek, y siempre he sido una socia silenciosa, toda mi vida.

–Yo lo único que quiero es tener oportunidad de hablar con tu padre fuera de la oficina, en un entorno cómodo. Lo único que tienes que hacer es decir que somos amigos. Ya sé que será duro, pero...

–No, no es duro fingir que somos amigos, pero no estoy dispuesta a comprometer a mi familia para obtener una ganancia personal.

–Te aseguro que no te estás comprometiendo a nadie. El contrato sería bueno para ellos también.

–¿Por qué necesitas mi ayuda? –preguntó Candy con recelo.

–Porque no creo que quiera escucharme después de que el año pasado bloqueé su solicitud de redistribución.

–¿Fuiste tú?

–¿Tu padre no sabe que fui yo? –preguntó Derek esperanzado.

–Seguro que lo sabe, pero no presto mucha atención cuando me habla de negocios, la verdad.

El momentáneo optimismo de Derek se evaporó.

–Bueno, entonces, entiendes por qué necesito tu ayuda. Mira, Hammond Electronics se hizo con el contrato para venderle a Enoki Communications los ordenadores para las trescientas tiendas que tiene en el Lejano Oriente.

–Por mucho que me expliques cuál es la propuesta, no me vas a hacer cambiar de opinión.

–La idea es crear una sociedad. Reeves-DuCarter International tiene una licencia muy amplia en Asia. Si vuestra empresa y la nuestra llegan a un acuerdo, en lugar de vender genéricos, podríamos montar nuestra propia red y hacernos un hueco en el mercado de las comunicaciones inalámbricas. Lo único que te estoy pidiendo es que me presentes a tu padre –insistió Derek–. Una presentación, una cena, y tú, a cambio, tendrás la reforma de tus sueños.

–Sí, a cambio de vender a mi familia.

–¡No venderías a nadie! –exclamó Derek–. ¿No me has escuchado? Solo quiero que me presentes a tu padre. Yo me encargo de todo lo demás. Si, después de proponerles mi idea, dicen que no, será que no.

Candy sonrió de repente.

–Te propongo otro trato.

Derek tuvo la desagradable sensación de que iba a volver a perder.

«No pienses en que no lleva braguitas», se dijo.

–Estoy muerta de hambre, así que, si me haces la cena, te presento a mi padre –comentó Candy comenzando a escribir en otra servilleta.

¿La cena? ¿Lo único que quería era que le preparara la cena? Eso a Derek no le costaba nada. Le podría preparar mil quinientas cenas sin problema. Pero no, allí había gato encerrado. Era demasiado fácil.

–Te haré la cena y te daré todos los millones de dólares que quieras si sellas el trato con un beso en lugar de por escrito –le propuso.

–¿No me lo vas a poner por escrito? –se sorprendió Candy.

–Soy un hombre de palabra.

Candy se quedó mirándolo muy seria y Derek

tuvo miedo de echarlo todo por la borda, así que se apresuró a improvisar.

–Te lo voy a poner fácil. Yo te hago la cena y tú le pones nota de cero a diez y, por cada punto, me das un beso.

–Muy bien –contestó Candy.

Derek se dio cuenta, por lo rápido que había contestado, de que no le iba a dar ni un beso, pero había ganado que le presentara a su padre y, en cualquier caso, habría hecho él la cena, así que…

Capítulo Cuatro

Qué pena tener que ponerle un cero, porque aquella había sido una de las mejores comidas que Candy había probado en su vida.

Derek se había pasado un buen rato cocinando y la había obsequiado con champiñones rellenos de cangrejo, salmón al horno con salsa bearnesa y arroz con azafrán y espárragos.

Candy se quedó mirando los labios de Derek y pensó que era una pena tener que darle un cero a la cena porque aquellos labios se le antojaban bellos y deseables.

Lo cierto era que le había besado una vez, pero solo había sido un pico en el túnel del amor. Sin embargo, en aquella ocasión, Derek se había retirado rápidamente al darse cuenta de que estaba a punto de besar a la hija de su enemigo de toda la vida. En cualquier caso, la experiencia había resultado interesante.

Candy se planteó que, tal vez, era esta la ocasión perfecta para terminar lo iniciado en aquel momento.

¿Y qué tal si le diera un uno a la cena?

Desde luego, aquel salmón que estaba saboreando con fruición se lo n...

porque el arroz estaba ta...

so. Claro que tampoco podía olvidar...

vino que estaba degustando.

Candy probó los espárragos. Estaban tiernos y le parecieron el complemento perfecto al pescado y al arroz. Tal vez, debería darles un punto. Eso quería decir que ya estaba en tres. ¿O eran cuatro?

Cuatro besos.

Sí, decididamente, Derek se los merecía. Candy se dijo que no pasaba nada, que no lo iba a besar por pasión ni por deseo, que solo era un trato. Además, estarían fuera de allí al día siguiente y, después de aquello, solo le quedaría presentarle a sus padres, ocasión que no podría aprovechar para besarlo, por supuesto, y no lo volvería a ver.

Aquel pensamiento le deprimió, lo que, por otra parte, se le antojó estúpido porque lo único que hacían cuando se veían era discutir.

—Voy a por el postre —anunció Derek poniéndose en pie—. He preparado natillas.

«Oh, oh, otro beso», pensó Candy.

Ya iba por cinco. El cincuenta por ciento. De repente, se le ocurrió que darle solamente el cincuenta por ciento era injusto, porque Derek se había esmerado realmente con la cena.

—Esta receta es de mi madre. Te va a encantar —sonrió al ponerle el cuenco de natillas delante.

Candy las probó y se sintió catapultada a otro nivel de sabor. Por supuesto, no pudo evitar que

...ión se reflejara en su rostro. Decidi-
..., aquel postre merecía otro punto.

Y ya iba por seis. Eso quería decir que le iba a tener que dar seis besos. Menos mal que había bebido suficiente vino como para hacerlo.

–Bueno, ya hemos terminado de cenar. ¿Cuántos puntos me das?

Candy echó los hombros hacia atrás. Por supuesto, podía mentir y puntuarlo con un cero, pero no lo iba a hacer. No le parecía justo y, además, le apetecía ver la cara de sorpresa de Derek.

–Diez –contestó.

¿Diez?

Derek se quedó de piedra.

–¿Diez? –dijo atragantándose con el vino.

–Sí, diez –contestó Candy.

–No lo entiendo.

Candy se lo puso por escrito en una servilleta. Derek se quedó mirando el número y sacudió la cabeza.

–¿Me vas a dar diez besos?

Candy asintió.

–De verdad que no lo entiendo. ¿Dónde está la trampa? –preguntó Derek poniéndose en pie.

–No hay trampa –contestó Candy poniéndose en pie también.

–Pero si no paramos de pelearnos.

–Supongo que estamos haciendo las paces.

La tenía tan cerca que percibía el aroma de su champú y el calor de su cuerpo. Aquella mujer era increíblemente guapa y sensual. De repente, a Derek se le ocurrió que, tal vez, el haberse estado peleando continuamente con ella no había sido más que un mecanismo de defensa.

—Esto va a cambiar las cosas entre nosotros —le advirtió.

—Dependerá de los besos —contestó Candy con una sonrisa traviesa en los labios.

—Qué presión —dijo Derek.

—Según tengo entendido, trabajas muy bien en situaciones de presión.

—Así es —confesó Derek tomándole el rostro entre las manos.

Acto seguido, se acercó a su boca y tocó sus labios levemente. El primer beso fue delicado. Bueno, Derek comenzó de manera delicada, pero, cuando Candy abrió los labios de repente y Derek probó la dulzura de su boca, el hambre entró en su torrente sanguíneo y el deseo se apoderó de él por completo.

Aquello le hizo apretarse contra su cuerpo, deslizar una mano entre sus cabellos y disfrutar de su tacto mientras la besaba de nuevo. Deslizó la otra mano hasta su cintura y, cuando recordó que Candy no llevaba braguitas, sintió que explotaba de deseo.

Cuando Candy le colocó las manos sobre los hombros, Derek la apretó contra su erección y, para su sorpresa, Candy no se retiró, sino que se derritió contra él y abrió más los labios, lo que le permitió a Derek meter la lengua dentro de su boca. Candy emitió un murmullo de placer, lo que hizo que la pasión de Derek aumentara.

Derek sintió que el oxígeno se evaporaba de su cuerpo, que la estancia daba vueltas y que el mundo exterior no existía, solo el sabor, el olor y la suavidad de Candy, a la que no podía parar de besar.

Mientras le acariciaba la nuca, Candy ladeó la cabeza y susurró su nombre. Derek la tomó en brazos y la levantó del suelo. Al hacerlo, el vestido se le deslizó por los muslos y las yemas de los dedos de Derek entraron en contacto con la parte interna de sus muslos desnudos. Al instante, sintió que mil sensaciones se apoderaban de él con la fuerza de un huracán.

Si seguían, no iban a poder parar.

Haciendo un esfuerzo sobrehumano, dejó de besarla, la depositó de nuevo en el suelo y la miró a los ojos. Candy tenía las pupilas dilatadas por el deseo y la respiración entrecortada.

—Uno —susurró.

—Esto es muy fuerte —le advirtió Derek agarrándola de la cintura.

—Lo que ha habido entre nosotros siempre ha sido muy fuerte, desde el mismo instante en el que nos conocimos —le recordó Candy agarrándolo de los bíceps.

Derek estaba de acuerdo, así que tomó aire y volvió a besarla. Mientras lo hacía, sus pulgares avanzaron hasta los alrededores de sus pezones. Fue entonces cuando se dio cuenta de que el trato solo incluía besos.

Derek comenzó a besarla por el cuello. Uno de los tirantes del vestido se le deslizó por el hombro a Candy, dejando a la vista la parte superior de uno de sus pechos. Al verlo, Derek cerró los ojos con fuerza. Aquello era una tortura que le llevó a descansar la frente sobre la de Candy mientras intentaba controlar su ritmo respiratorio, completamente desbocado.

Candy comenzó a besarlo por el cuello y le pasó los brazos. Derek tuvo que hacer un gran esfuerzo para no desnudarla allí mismo. Cuando tomó uno de sus pechos en la palma de su mano, Candy susurró su nombre. Derek deslizó la mano dentro del vestido y le tocó un pezón, que se endureció al instante.

Derek sintió que no podía más.

Volvió a besar a Candy en la boca. El deseo era tan fuerte e intenso que le dolía. Sabía que, si seguían, en breve estarían en la cama.

—Debemos parar —dijo apartándose levemente.

Candy lo miró confusa.

—O paramos ahora mismo o me voy a por una caja de preservativos y nos liamos la manta a la cabeza —le advirtió Derek.

Candy se quedó pensativa. Derek rezó para que eligiera la segunda opción, aunque fuera una locura.

—De acuerdo —contestó Candy dando un paso atrás.

¿De acuerdo qué?

–No sé en qué estaba pensando –añadió llevándose la mano a la cabeza–. Será mejor que nos olvidemos de lo que ha ocurrido.

–Muy bien –contestó Derek intentando disimular la frustración.

Candy se acercó a la mesa y apagó la vela.

–Será mejor que nos vayamos a dormir. Mañana por la mañana, nos sacarán de aquí y todo volverá a la normalidad –le dijo subiéndose el tirante del vestido.

–¿Y nuestro trato? ¿Me vas a presentar a tu familia?

Candy se giró hacia él y lo miró a los ojos en silencio. Derek tuvo que hacer un gran esfuerzo para no correr de nuevo hacia ella.

–Un trato es un trato –murmuró Candy.

Capítulo Cinco

Lo cierto era que Candy no quería cumplir con su parte del trato. Habían pasado dos semanas desde que los obreros los habían sacado a Derek y a ella del restaurante y no lo había vuelto a ver desde entonces.

Sin embargo, sus besos la habían dejado tensa y nerviosa. Durante el día, no podía dejar de pensar en él, y por la noche, cuando cerraba los ojos, lo veía, oía su voz y sentía sus manos.

Cuando tenía veinte años, había visto cómo muchas de sus mejores amigas se enamoraban de tiburones sin escrúpulos que les habían pulverizado el corazón. Ella se había jurado que jamás caería en aquella trampa.

Lo cierto era que, en lugar de arrepentirse de lo que había sucedido entre Derek y ella, los recuerdos de aquella noche la excitaban tanto que sabía que tenía que permanecer alejada de él si no quería quemarse.

Eso significaba que no podía organizar la cena con su familia y aquello quería decir que no iba a cumplir con su parte del trato. Derek se daría cuenta tarde o temprano y se iba a enfadar. Había evitado sus llamadas telefónicas y suponía que Derek estaría a punto de perder la paciencia.

Así debía de ser porque, cuando llegó con Jenna al café donde solían descansar después de montar en bicicleta, se lo encontró acompañando a su hermano, que había quedado allí con su esposa.

Nada más verla y en cuanto Jenna y Tyler se perdieron en el interior del café, Derek entró a la carga y le preguntó si había hablado con su padre. Candy mintió diciéndole que no había tenido tiempo.

—Eso tiene fácil arreglo —sonrió Derek sacándose el teléfono móvil del bolsillo—. Llama a tu casa.

—¿Ahora? —se sorprendió Candy.

—Ahora mismo.

Candy marcó el número de su casa y esperó a que Anna-Leigh la pasara con su madre.

—¿Candice?

—Hola, mamá.

—¿Qué tal estás, cariño?

—Bien. ¿Y vosotros?

—Tirando. Tu padre acaba de volver de Texas.

—¿Ah, sí?

—Sí, se ha comprado un toro.

—¿Un toro? —se extrañó Candy.

—Sí, se llama Captain Fantastic.

Aquello sorprendió a Candy, pero se dijo que su padre siempre había tenido buen ojo para los negocios.

—¿Y cómo se le ha ocurrido algo así?

–Por lo visto, el semen es muy valioso.

–¿Semen?

Derek la miró sobresaltado.

–Es un toro semental –le explicó su madre a Candice–. Bueno, supongo que no me habrás llamado para hablar del toro de tu padre. ¿Qué querías, cielo?

–Quería pasar a veros. ¿Estáis libres…?

–Esta noche –apuntó Derek.

Candy lo miró con desprecio.

–Esta noche –insistió Derek.

–Esta noche –cedió Candy.

–Sí, para ti siempre estamos libres, ya lo sabes, cielo.

–Quería llevar a un amigo…

–Perfecto. A tu padre le encantará tener a alguien con quien hablar de Captain Fantastic –contestó su madre refiriéndose al toro–. Espero que a tu amigo le interese la cría de toros, porque tu padre está obsesionado con el tema últimamente…

Candy sonrió encantada. Le estaría bien empleado a Derek por arrinconarla de aquella manera.

–Ya está –anunció.

–Muy bien –asintió Derek.

Candy estaba segura de que, si su padre tenía la cabeza en ponerse a criar toros, no estaría ni mínimamente interesado en hacer negocios de telecomunicaciones con Derek. Eso significaba que, en cuanto terminara la reforma del Quayside, lo perdería de vista.

Derek le abrió la puerta y Candy sonrió según entraba.

—¿De qué te ríes? —le preguntó él.

—De nada —contestó Candy entrando en el café.

—¿De que hablabas con tu madre? —quiso saber Derek mientras avanzaban hacia la mesa en la que los esperaban Jenna y Tyler.

—De cosas de mujeres —contestó Candy.

—¿De semen?

—Sí, mi madre y yo nos pasamos la vida hablando de semen —contestó Candy—. ¿De qué hablas tú con tu padre?

—Del índice Nasdaq.

—Derek, deberías tener más vida.

—Candy, tengo la vida que quiero.

Por supuesto que tenía la vida que quería. Aunque su hermano y Candy le sugirieran que necesitaba una novia seria, no necesitaba hablar de reproducción con sus padres, lo que necesitaba era que la empresa fuera cada día mejor, y para ello tenía que concentrarse aquella noche en agradar a Chuck Hammond.

Cuando llegaron a casa de los padres de Candy, Derek se encontró con una mansión de arquitectura grandiosa llena de flores frescas y pequeños detalles que lo hacían parecer un hogar acogedor.

Derek siguió a Candy, que atravesó un salón enorme de techo abovedado y avanzó por un amplio pasillo hasta el porche, que daba a una maravillosa pradera de césped salpicada de palmeras.

La madre de Candy estaba poniendo unas flores sobre la mesa de mimbre mientras su padre preparaba la barbacoa.

–Papá, mamá, os presento a mi amigo Derek Reeves. Derek, estos son mis padres, Nancy y Chuck Hammond.

Nancy levantó la mirada y estrechó la mano de Derek mientras miraba a su hija de manera inequívoca. Oh, oh. Derek no había considerado que los padres de Candy podrían creer que estaban saliendo juntos.

–¿Derek Reeves-DuCarter? –sonrió Chuck acercándose.

Derek asintió.

–Vaya, vaya, vaya… –comentó el padre de Candy mirando a su hija–. Esto parece sacado de una novela de Shakespeare –sonrió.

Candy miró extrañada a Derek mientras sus padres se perdían en el interior de la casa con la excusa de ir a preparar unos martinis.

–Romeo y Julieta –le aclaró Derek.

Candy lo miró confundida.

–Los Hammond y los Reeves-DuCarter –insistió Derek–. Tu padre cree que somos pareja.

–Pues no entiendo por qué cree algo así.

–¿A cuántos hombres has traído a tu casa?

–Vaya… –se lamentó Candy.

–Vas a tener que tener cuidado durante la cena. No me vayas a mirar con deseo.

Candy lo miró indignada.

–Podría suceder. Al fin y al cabo, soy un hombre guapo y de dinero.

–Sí, y con un ego del tamaño del monte Rushmore.

–El tamaño importa, ¿no? –sonrió Derek encantado.

Capítulo Seis

Aunque Candy había dado a entender que no tenía ninguna intención de mirarlo con deseo, lo cierto era que lo deseaba y que estaba manteniendo una gran lucha interna para controlarse.

Mientras cenaban, por espacio de más de una hora, su padre se explayó contándoles los detalles de su nueva inversión en toros y su idea de comprar un rancho en Texas. Lejos de parecer aburrido, Derek parecía sinceramente interesado.

Cuando llegó el momento, mientras atardecía y el cielo se llenaba de nubes, decidió que había llegado el momento de plantear su negocio.

–Enhorabuena por el contrato de Enoki –le dijo a Chuck.

–Gracias. Tengo entendido que tu empresa también se presentó.

–Sí, nos habría venido muy bien hacernos con ese contrato, dado que tenemos licencia para operar en Asia. De momento, no la hemos podido utilizar.

–¿Y no os interesaría venderla? –preguntó el padre de Candy interesado.

–No, claro que no.

Chuck se quedó mirando a Derek y luego miró a su hija.

—¿Solo sois amigos? —les preguntó.

—Sí —contestó Derek.

—Entonces, supongo que has venido a cenar a mi casa para proponerme un negocio.

—Exactamente —admitió Derek.

—Dispara.

—Tu empresa se encarga del *hardware* y la mía de la infraestructura y nos repartimos los beneficios.

—¿Al cincuenta por ciento? —preguntó Chuck interesado.

Derek asintió.

Chuck sonrió, se arrellanó en su asiento y alargó el brazo.

—Trato hecho —contestó ofreciéndole la mano a Derek.

—¿Cómo? —gritó Candy poniéndose en pie.

Ambos hombres, e incluso su madre, se giraron hacia ella. Candy intentó sonar coherente a pesar del miedo que le producía la posibilidad, ya casi certeza, de tener a Derek tan cerca, metido en los negocios de su familia.

—Papá, piénsatelo bien, te acabas de meter en lo del rancho…

—No te preocupes, cariño, sé lo que hago.

—Sí, pero…

Derek le dio un rodillazo por debajo de la mesa.

—Yo…

—¿Qué te pasa, Candice?

–No, bueno… es que no me gustaría que come-
tieras un error…

Derek la miró con frialdad y apretó las mandíbulas.

–No tienes los detalles… –continuó Candy.

–De eso se encargarán los abogados –contestó
su padre.

–Exacto –apostilló Derek.

Derek paró el coche frente a la casa de Candy.
Todavía no se podía creer que Candy hubiera querido sabotear el acuerdo con su padre. Necesitaba
saber por qué lo había hecho. ¿Tan vengativa era?

En cuanto pasó el brazo por el reposacabezas y
la miró, Candy supo lo que le iba a preguntar y se
bajó del coche aunque estaba lloviendo. Derek la
siguió inmediatamente. Candy se dirigió al parque,
que estaba oscuro, pues ya eran más de las diez de
la noche.

–Déjame en paz –le gritó–. Ya tienes lo que quieres, así que aléjate de mí.

–¿Por qué te molesta tanto?

Candy no contestó y siguió andando. Llovía con
fuerza. Los zapatos se le habían embarrado y la camisa se le pegaba al cuerpo.

–No entiendo por qué estás tan enfadada –insistió Derek.

Sabía que Candy había cumplido con su parte
del trato y que no le debía nada. Era consciente de

que lo que debería hacer sería distanciarse de ella y olvidarse de su existencia, pero no podía.

–¿Qué te pasa? ¿Por qué estás así?

–Derek, parece mentira que seas tan inteligente para unas cosas y tan bobo para otras.

Derek se quedó pensativo y comenzó a comprender.

–¿Te refieres a lo que sucedió entre nosotros hace unos días?

Candy asintió.

–Vaya, parece que empiezas a darte cuenta de que el hecho de que hagas negocios con mi padre podría resultarme incómodo.

Derek comprendió y admiró la sinceridad de Candy.

–Lo de aquella noche solamente fueron unos cuantos besos –comentó intentando quitarle seriedad al asunto–. No se puede boicotear un contrato multimillonario por unos cuantos besos.

Candy apretó las mandíbulas.

–No fue lo que hicimos, sino lo que no hicimos –le aclaró.

Derek tragó saliva.

La tenía muy cerca. Sin pensarlo, alargó el brazo y le acarició el rostro. Al instante, Candy se sonrojó y Derek se dio cuenta de que era de deseo ante su caricia.

–¿Me sigues deseando? –le preguntó.

Candy asintió.

–¿Y qué quieres hacer?

–Irme a casa.

–¿Sola?

–Sí.

Dos semanas después, en la fiesta de inauguración del restaurante Lighthouse, Candy seguía repitiéndose que había hecho bien. Haberlo invitado a subir a su casa y haber hecho el amor hasta la extenuación no les habría servido de nada.

Candy miró a Derek, que estaba en la pista de baile, y tragó saliva. Aunque se había prometido a sí misma a la edad de diecisiete años que no se acercaría a hombres como él, también existía la posibilidad, tal y como le había indicado Jenna, de que darse un buen empacho le sirviera para olvidarse de él.

–Esto es como el chocolate –le había dicho su amiga hacía un rato–. Cuando una tiene muchas ganas de comer chocolate, es mejor no ignorarlas, porque lo único que consigues es obsesionarte todavía más. Lo que hay que hacer es pegarse un buen atracón y olvidarse del tema.

¿Un buen atracón?

–Anda, ve a bailar con él y le propones algo. La química entre vosotros es tan fuerte que se podría embotellar –insistió Jenna.

Candy se puso en pie y avanzó hacia la pista de baile. Cuando estaba llegando, se le ocurrió que, a lo mejor, no era tan buena idea y decidió darse la vuelta, pero ya era demasiado tarde, pues Derek la había visto y la estaba llamando.

–¿Quieres bailar? –le preguntó.

«¡No!», pensó Candy.

–Sí, claro –contestó, sin embargo.

Derek la tomó de la mano, la estrechó entre sus brazos y se dejaron llevar por los acordes del vals. Candy sintió que se derretía y dejó que Derek la apretara contra su cuerpo. Al instante, se le entrecortó la respiración.

–Enhorabuena. La gente no para de decirme lo bonito que está el restaurante. Hablan sobre todo del candelabro. Incluso le están haciendo fotos.

Candy sonrió encantada.

–No deberías haber dudado de mí.

Derek sonrió y le colocó la palma de la mano en las lumbares mientras se movían en círculos. De repente, Candy se lo imaginó desnudo, se imaginó sus brazos fuertes y musculosos abrazándola contra su pecho. La imagen se le antojó excitante como el chocolate.

–¿Y ahora? –le preguntó Derek.

Candy dio un respingo.

–¿Ahora?

Derek asintió.

–¿Te refieres después de la fiesta?

–Oh, Candy –sonrió Derek apoyando su frente en la de ella–. Me refería a cuál va a ser tu próxima reforma.

–Ah…

–La verdad es que me interesa más que hablemos de después de la fiesta.

–No me puedo ir pronto –contestó Candy sinceramente.

–Muy bien –asintió Derek.

A continuación, bailaron en silencio hasta que terminó la canción.

–Me estoy muriendo de deseo, Candy –confesó Derek–. Por favor, no me dejes así.

Candy cerró los ojos.

–¿Quieres que nos veamos luego?

Derek asintió.

–Te advierto que será solo una vez.

–¿Una vez? –se sorprendió Derek.

–Una noche.

–¿Haremos el amor?

–Exacto.

–Perfecto.

Capítulo Siete

Candy volvió a la mesa que compartía con Jenna.

–Me he atrevido –sonrió encantada.

–¡No me lo puedo creer! –se rio su amiga.

–¿Candice Hammond? –dijo una voz a sus espaldas.

Ambas se dieron la vuelta.

–Buenas noches, soy Myrna West, de la Sociedad Histórica de Seattle.

–Encantada de conocerla, por favor, siéntese –la invitó Candy.

–Gracias –contestó Myrna aceptando la silla que Candy le indicaba–. Voy a ir directamente al grano. Me he acercado para decirles que estamos gratamente sorprendidos de los resultados de su reforma. El consejo directivo me ha autorizado a comenzar los trámites para declarar Patrimonio Histórico este edificio.

Candy sintió que los ojos se le salían de las órbitas.

–Por la parte que nos toca, es todo un honor oír esto –contestó Jenna.

–Lo normal sería que habláramos con Derek Reeves, porque él es el representante de los propietarios del inmueble, pero... bueno, es obvio que sus objetivos no están siempre en sincronía con los objetivos de la sociedad.

Candy asintió. Bonita y educada manera de decir que el altruismo no formaba parte de la vida de Derek.

–Quería pedirles que hablaran ustedes con él para ver si puede allanar un poco el camino. A ver si Derek accede a acometer ciertos cambios en el restaurante para pedir formalmente el estatus de Patrimonio Histórico. Yo, por mi parte, me comprometo a que el consejo directivo tenga en cuenta la solicitud.

Candy no sabía qué decir. La reforma de aquel lugar había sido su primer contrato importante. Si declaraban el edificio Patrimonio Histórico, su reputación subiría como la espuma y se les abrirían muchas puertas. Era un sueño hecho realidad.

–Haremos todo lo que podamos –le aseguró a Myrna.

–Estamos en contacto, entonces –se despidió la mujer poniéndose en pie y alejándose.

–No me lo puedo creer –le dijo Jenna a Candy al oído una vez a solas.

–Yo tampoco, pero no sé qué vamos a hacer para convencer a Derek.

–Bueno, tú te vas a acostar con él esta noche... –le recordó Jenna.

Candy se quedó de piedra.

–Si sabes elegir el momento apropiado... –continuó su amiga.

Candy sintió que el pánico se apoderaba de ella.

–Ay, Dios mío.

–No podrá decirte que no.

–Y yo que creía que no lo iba a volver a ver después de esta noche... Lo último que quiero es tener que pedirle un favor. No me apetece nada necesitar su cooperación. ¿Qué puedo hacer? No se lo puedo pedir antes porque se va a creer que le estoy chantajeando.

–Cierto –contestó Jenna.

–Y tampoco puedo pedírselo después porque pensará que... le estoy chantajeando.

–También cierto.

–Y no me puedo echar atrás porque no me volvería a hablar.

–Correcto.

–No me estás ayudando en absoluto. Esto es una catástrofe.

–Aquí viene el interesado –anunció Jenna.

Candy sintió una mano fuerte en el hombro.

–Suite Roosevelt –le dijo Derek al oído haciéndole entrega de unas llaves.

Antes de que le diera tiempo de reaccionar, Derek se había evaporado.

–¿Qué te ha dicho? –quiso saber Jenna.

–Suite Roosevelt –contestó Candy mostrándole las llaves.

–Es la mejor –sonrió Jenna.

–Mira tú qué bien… –se lamentó Candy.

–Se va –anunció Jenna.

–¿Cómo?

–Sí, se va.

Candy se giró y comprobó que, efectivamente, Derek estaba saliendo del salón en el que se estaba celebrando la fiesta.

Jenna llamó inmediatamente a su marido y le preguntó adónde iba su hermano. Tyler les contó que una tubería se había roto y habían llamado a Derek mientras llegaba el fontanero.

Derek estaba hablando por un teléfono con el jefe del departamento financiero para ver hasta dónde les cubría la póliza del seguro y por el otro teléfono con la persona encargada de recursos humanos porque en el lugar en que se había producido la rotura había una conferencia el día siguiente que iba a tener que ser trasladada a otra sala.

Eran las doce menos cinco de la noche y quería llegar a la suite Roosevelt antes que Candy. Había pedido champán, fresas y chocolate y quería tenerlo todo dispuesto a su gusto antes de que llegara la mujer con la que iba a compartir la noche.

Tras arreglarlo todo por teléfono con los directores de las respectivas áreas, le preguntó a Gus, el portero del edificio, qué le parecía la fuga. Al girarse hacia él, Gus descuidó el escape y el agua salió disparada directamente al pecho de Derek.

A las doce y cinco minutos de la noche, empapado, Derek se dirigía a toda velocidad a la suite que había reservado. Al pasar por el vestíbulo, que estaba desierto pues todo el mundo estaba en la fiesta, vio a una mujer que cruzaba las puertas giratorias de cristal que conducían a la calle.

¿Candy?

¿Por qué demonios se iba? Derek cruzó el vestíbulo y, al ver que Candy se dirigía a una de las limusinas estacionadas frente al edificio, aceleró el paso.

–¡Candy! –la llamó.

Candy se giró, lo miró con los ojos muy abiertos y se metió en la limusina.

–Al 2216 del bulevar Westbound –le dijo al conductor.

Derek consiguió alcanzar el pico de la puerta antes de que al hombre le diera tiempo de cerrar y, empujando levemente, se coló en el asiento trasero del vehículo.

–¿Qué haces? –le preguntó a Candy.

Candy tragó saliva.

–Creía que no ibas a volver.

–¿Cómo que no? ¿Por qué no iba a volver?

¿Se había vuelto loca?

–Como has estado por ahí tanto tiempo... creí que estarías ocupado...

Derek le tendió la mano y Candy miró a su alrededor, confusa.

–Estaba ocupado, pero ya está todo arreglado. Vamos –insistió Derek.

—Tenemos que hablar –contestó Candy.

—Ya hablaremos arriba.

—Tenemos que hablar antes de subir.

—Muy bien, habla –accedió Derek metiéndose en la limusina y cerrando la puerta.

Al instante, el conductor puso el vehículo en marcha. Derek le dijo que esperara, pero la pantalla de división interna estaba subida y el conductor no lo oyó.

Derek intentó disimular su fastidio porque las cosas no estaban saliendo como a él le hubiera gustado. Claro que era cierto que había estado perdido por ahí más de una hora. Candy tenía razones más que suficientes para haber dudado de sus intenciones. Debía de haber creído que había cambiado de opinión.

Derek se soltó la corbata y se quitó la chaqueta. Tenía la camisa empapada y pegada al pecho, pero intentó peinarse pasándose los dedos por el pelo. Acto seguido, se giró hacia Candy con la intención de preguntarle de qué quería que hablaran, pero se quedó helado.

Candy lo estaba mirando fijamente como si... bueno, exactamente como Derek había fantaseado toda la noche que lo mirara.

Era cierto que las cosas no estaban saliendo como tenía planeado, pero también era cierto que estaban juntos, que la pantalla de separación del coche estaba subida y que las luces de la ciudad resultaban muy románticas.

Derek se acercó a Candy, le acarició la mejilla y se inclinó sobre su boca.

–Derek –murmuró Candy–. Tenemos que...

Derek la besó, ahogando sus palabras. Llevaba toda la noche soñando con besarla, con acariciarle el pelo. El ruido del motor se fue alejando a medida que el espacio quedó tomado por los leves jadeos de Candy.

Derek la besó por el cuello y por el hombro desnudo. Candy apretó los puños y echó la cabeza hacia atrás. Derek murmuró su nombre, la besó, la lamió, aspiró su aroma y deseó que el tiempo se parara.

Candy le desabrochó la camisa y le acarició el pecho desnudo, lo que le produjo una reacción en el sistema nervioso a Derek que le llevó a deshacerle el lazo que anudaba el vestido de Candy.

A continuación, le deslizó el vestido hasta la cintura, dejando expuestos sus preciosos pechos. Le besó uno de los pezones, deleitándose en su textura, lamiéndola como si fuera un helado.

Candy gritó su nombre y Derek la tumbó sobre el asiento y deslizó su dedo índice hasta encontrar las medias y las braguitas altas que apenas cubrían su piel. Su ropa interior era negra y, al verla, Derek sintió que el deseo se apoderaba de él.

Le acarició la tripa a Candy, observando cómo sus ojos adquirían un brillo nuevo al llegar a la cinturilla de sus braguitas. Cuando encontró la perla de su feminidad, Candy cerró los ojos y Derek la besó profusamente en los labios. A continuación, introdujo sus dedos en la humedad de su cuerpo hasta que Candy levantó las caderas del asiento.

De repente, la limusina se paró.

Derek maldijo y Candy ahogó un grito de sorpresa.

Derek se apresuró a buscar el interfono.

–Llévenos a Bellingham. Ida y vuelta –le pidió al conductor.

–Muy bien, señor –contestó el chófer en tono profesional.

Derek volvió a besar a Candy, se quitó los pantalones, le bajó las braguitas hasta los tobillos y continuó besándola y acercándose a sus pechos. Candy metió los dedos entre sus cabellos mientras emitía jadeos entrecortados.

Derek deslizó los dedos por la parte interna de los muslos de Candy hasta rozarle el vello púbico. No tardó mucho en encontrar la suavidad de su sexo.

No podía más.

Se apresuró a colocarse un preservativo y a ponerse entre sus piernas.

–¿Estás bien? –le preguntó.

Candy abrió los ojos y sonrió. A continuación, le agarró de las nalgas y lo introdujo en su cuerpo. Derek gimió de placer. Candy se deshizo de las braguitas y lo abrazó con las piernas por la cintura. Derek entró por completo en la humedad de su cuerpo, una y otra vez.

Oía la respiración entrecortada de Candy en el oído, percibía el aroma de su piel y devoraba sus labios calientes con besos desesperados. Candy gritó su nombre y él hizo lo mismo.

–¿Ya? –le preguntó.

–Sí –contestó Candy.

Derek se dejó ir. Cuando los últimos temblores sacudieron su cuerpo, colocó a Candy a horcajadas sobre él.

–¿Solo una noche? –le preguntó.

Candy asintió.

Derek le acarició los muslos y subió por sus costillas hasta encontrar sus pechos, maravillándose de lo rápido que su cuerpo se estaba reactivando.

–Será mejor que no perdamos tiempo.

Candy sonrió encantada.

–Eres preciosa –le dijo Derek.

Candy le acarició el torso desnudo.

–Tú tampoco estás nada mal.

–Tenemos tres horas –le recordó Derek–. Es lo que se tarda en ir y volver a Bellingham.

Candy se inclinó sobre él y lo besó.

–Muy bien.

A continuación, hicieron el amor muy lentamente mientras las luces de la autopista pasaban primero en dirección norte y, luego, en dirección sur. Para cuando volvieron a Seattle, estaban cubiertos de sudor.

–Lo cierto es que estoy completamente satisfecha –susurró Candy.

—Menos mal —sonrió Derek.

Él estaba agotado.

—Estaremos en el 2216 del bulevar Westbound en cinco minutos —anunció el conductor por el interfono.

—Vaya —exclamó Candy vistiéndose a toda velocidad.

Derek la tomó de la mano, indicándole que no quería que se fuera.

—Me tengo que ir —dijo Candy.

Derek prefirió no discutir. No quería estropear la mejor noche de su vida.

Candy cerró la puerta de su casa y se golpeó la cabeza contra ella tres veces seguidas. Le tendría que haber hablado de Patrimonio Histórico antes de dejar que la tocara.

¿Cómo lo había hecho tan mal?

Al verlo con la camisa mojada, había pensado que era el hombre más guapo que había visto en su vida y, cuando lo había visto sin camisa, se había convencido de que era mucho mejor que el chocolate.

Dejó el bolso en el sofá, se quitó los zapatos y se metió en el baño. Pensó que lo mejor de todo aquello era que había saciado su hambre por Derek para una temporada. A lo mejor, a partir de ahora era capaz de hablar con él sin tener fantasías eróticas.

Candy se preparó un baño de espuma y se dijo

que tenía que conseguir que Derek no creyera que se había acostado con él para convencerlo de solicitar la declaración de Patrimonio Histórico.

Candy decidió que no era el momento de pensar en todo aquello. Estaba agotada. A la mañana siguiente, pasaría por el despacho de Derek y le explicaría que los dos temas no estaban relacionados.

A lo mejor, con un poco de suerte, Derek la creería.

Candy se metió en el agua caliente y suspiró. Ojalá la creyera, porque no tenía ningunas ganas de explicarle a su socia por qué no le había hablado de lo del Patrimonio Histórico a Derek antes de acostarse con él.

Capítulo Ocho

El interfono sonó en el despacho de Derek, situado en el último piso del edificio Reeves-DuCarter.

—Dime, Marion —le dijo a su secretaria.

—Candice Hammond quiere verlo en relación con el restaurante Lighthouse.

Derek dio un respingo.

¿Candy? ¿Allí?

¿Habría cambiado de opinión? ¿Querría seguir con lo de la noche anterior?

—¿Señor Reeves?

—Sí, perdone, Marion —contestó diciéndose que no debía ir por la vida comportándose como un adolescente presa de las hormonas—. Dígale que pase, por favor.

Derek dejó a un lado el informe que estaba leyendo y se dijo que estaba bien, que lo tenía todo controlado. Lo de anoche ya había pasado.

¿Pero y si Candy quisiera algo más?

Derek se levantó y se puso la chaqueta, se anudó la corbata y miró a su alrededor. Tenía agua para ofrecerle, una cómoda butaca en la que daba el sol de manera muy agradable y pensó que podían cerrar con llave la puerta de la oficina y...

En aquel momento, se abrió dicha puerta y entró Candy, ataviada con un traje de chaqueta color crema muy profesional y una blusa esmeralda que hacía juego con sus ojos.

Sin poder evitarlo, Derek sintió que sus ojos deambulaban por el cuerpo de Candy, desnudándola con la mirada, recordando sus curvas, saboreando las imágenes de la noche anterior, visualizándola desnuda de nuevo.

Marion cerró la puerta y Candy se dirigió a una de las butacas de cuero color burdeos.

–Antes de que empecemos, quiero que quede muy claro que esto no tiene nada que ver con lo de anoche –anunció Candy muy seria.

–¿Nada? –preguntó Derek decepcionado.

Candy negó con la cabeza y Derek intentó disimular su frustración. Ambos se sentaron y Derek se fijó en el sobre que Candy sostenía entre las manos.

–He venido a hacerte una proposición –anunció Candy.

«¡Sí!», pensó Derek.

A continuación, apretó los dientes y se obligó a asentir como si no pasara nada. Ojalá, con un poco de suerte, la proposición de Candy se pareciera a la suya. ¿Qué tal perderse en una isla tropical desnudos durante un mes?

–¿En qué te puedo ayudar? –le preguntó echando los hombros hacia atrás y poniendo su mejor sonrisa de tiburón.

Candy tomó aire y pasó las manos por el sobre repetidas veces. Derek se dio cuenta de que aquello no iba bien.

–Myrna West, de la Sociedad Histórica de Seattle, se ha puesto en contacto conmigo para solicitar la categoría de Patrimonio Histórico para el Lighthouse.

Derek frunció el ceño. Conocía a la indomable señora West y sabía que, si por ella fuera, toda la ciudad estaría declarada Patrimonio Histórico. Desde luego, había sido muy inteligente hablando primero con Candy en lugar de ir directamente a hablar con él.

–¿Cuándo? –le preguntó.

–¿Cómo?

–¿Cuándo ha hablado Myrna West contigo?

–Anoche.

Derek sintió que el estómago se le encogía. ¿Así que Myrna le ofrecía a Candy declarar Patrimonio Histórico el edificio que había reformado y, de repente, Candy se metía en una limusina con él?

¿Habría sido una casualidad?

Seguramente, no.

Derek se sintió traicionado, pero consiguió controlarse y disimular. Lo cierto era que había conseguido acostarse con una mujer que le gustaba hacía meses. ¿Qué importaba cómo o por qué hubiera sido?

Si aquella mujer estaba dispuesta a utilizar su cuerpo, por él, no había ningún problema.

–Una cosa no tiene nada que ver con la otra, Derek –le aseguró Candy.

Claro. Como que se lo iba a creer.

–Nada en absoluto –insistió Candy.

–Me alegro porque, de haberlo tenido, no habrías calculado bien.

–¿Cómo? Bueno, no importaba. Lo cierto es que Jenna y yo creemos que, si el hotel es declarado Patrimonio Histórico, sería muy beneficioso para todos.

–¿No quieres saber por qué he dicho que habrías calculado mal?

–No.

–¿Por qué no?

–La respuesta a esa pregunta no viene al caso.

–¿Después de lo de anoche?

–Derek, he venido a hablar de la declaración de Patrimonio Histórico.

Derek no tenía ningún interés en hablar del Patrimonio Histórico. Quería hablar de lo de la noche anterior. En concreto, hubiera preferido hablar de aquella noche y de las siguientes noches.

–Por favor –insistió Candy.

–Muy bien –accedió Derek.

–Jenna y yo hemos pensado que habría más clientes y...

–¿Sigues estando completamente satisfecha?

–¡Derek!

–Lo digo porque...

–¡Para, por favor!

No, Derek no quería parar. Quería comprender qué estaba sucediendo. Quería respuestas. Quería volver a acostarse con ella.

Un momento. ¿Qué estaba haciendo? Sí, era cierto que Candy estaba estupenda, pero había otras mujeres que estaban estupendas con las que podría acostarse.

Derek se dijo que no debía perder el control y se obligó a relajarse.

—Continúa —le indicó a Candy.

—Como te iba diciendo, si el hotel fuera declarado Patrimonio Histórico, tendría más clientes y...

—No.

—Por favor, déjame terminar.

Derek asintió.

—Mira, hay un montón de grupos artísticos y culturales que utilizan los edificios de Patrimonio Histórico para sus actividades. Podrías obtener beneficios de ello porque el hotel se convertiría en un punto de encuentro y mucha gente te apoyaría para que te dieran la declaración de Patrimonio Histórico. En cuanto la consiguieras, habría bofetadas para celebrar aquí un montón de eventos.

—¿Y tú qué sacas de todo esto?

—¿Qué quieres decir?

—No dudo de que tu interés pueda tener un aspecto filantrópico, pero supongo que todo esto también sería bueno para Canna Interiors —le explicó Derek.

Candy echó los hombros hacia atrás y cruzó las piernas.

–El objetivo de nuestra empresa a largo plazo es especializarnos en edificios históricos. Es obvio que si la primera reforma que hemos realizado es designada Patrimonio Histórico nos vendría muy bien porque le daría mucha credibilidad a la empresa.

–¿Por qué no lo has dicho antes?

–Te lo estoy diciendo ahora.

–En lugar de intentar venderme que es bueno para mí, podrías haberme dicho sencillamente que es bueno para ti y pedirme que cooperara.

Candy lo miró sorprendida.

–¿Estarías dispuesto a hacerlo por Jenna? ¿Porque es tu cuñada?

–¿Y por qué no iba a hacerlo por ti?

–¿Cómo?

–Puede que sea un buen hombre.

Candy lo miró con desconfianza.

–¿Cuánto costaría?

Candy le entregó el sobre.

–He preparado un presupuesto preliminar.

Derek lo hojeó.

–Desde luego, que te declaren Patrimonio Histórico un edificio no merece la pena desde el punto de vista económico...

–Pero...

–Sí, ya lo sé, pero, tal vez, sí merezca la pena desde el punto de vista del ciudadano. Puede ser. Es verdad que, a lo mejor, me haría ganar puntos a los ojos de ciertos ciudadanos, pero lo cierto es que, para ir adelante con esto, hay que ser un buen hombre, Candice. Un hombre realmente bueno –recalcó terminando de leer el presupuesto–. ¿A ti te parece que yo lo soy?

Candy se quedó pensativa.

–No eres tan malo como yo creía –confesó.

Derek vio que sonreía levemente y la miró a los ojos.

–Tú eres mejor de lo que yo nunca me habría atrevido a soñar –admitió.

–Derek –dijo Candy apartando los ojos.

–Lo cierto es que no tengo mucho tiempo.

–Eso no será problema, yo me comprometo a ocuparme de la investigación histórica, a hacer todos los papeles de la propuesta y a preparar toda la logística –le propuso Candy esperanzada.

Derek le devolvió el sobre, Derek jamás había tomado una decisión de negocios dejándose llevar por las emociones, pero, cuando se trataba de Candy, era débil.

Muy débil.

Se iba a arrepentir de aquello.

–Adelante –le dijo.

A Candy se le iluminaron los ojos y su sonrisa le llegó a Derek al alma. En aquellos momentos, no se arrepentía en absoluto.

–¿Qué van a hacer qué? –preguntó Strike.

–Van a solicitar la declaración de Patrimonio

Histórico –contestó Derek intentando ocultar su vergüenza con un trago de cerveza.

Se había reunido con sus hermanos en su casa para ver atardecer, tomarse algo y charlar un rato. No era como las juergas de antaño, pero era lo que tocaba.

–¿Desde cuándo el Quayside se ha convertido en un lugar de artistas?

–No son artistas, sino recuperadores del patrimonio histórico –le explicó Derek.

Lo cierto era que daba igual cómo los llamara. Sabía que aquella decisión iba a extrañar al consejo de administración.

–Ya –contestó Strike mirando a Tyler en busca de apoyo.

–A mí no me mires –dijo su hermano meciéndose cómodamente en su butaca–. Si Jenna es feliz, yo soy feliz.

–Te entiendo perfectamente porque, cuando veo a Erin feliz, yo también soy feliz, pero no entiendo qué le va a Derek en todo esto.

Tyler sonrió.

–Buena pregunta. Derek, ¿podrías contestarla tú, por favor?

Derek se tomó su tiempo, paseando la mirada desde el césped hasta el mar.

–Me llevo la satisfacción de saber que soy un buen ciudadano que ayuda a que Seattle mantenga su historia.

Strike se rio con incredulidad.

–¿Eso fue lo que estabas haciendo anoche? ¿Velar por la historia de la ciudad?

Derek lo miró con intensidad.

–Un momento, un momento, ¿qué me he perdido? –se indignó Strike.

–La razón de Derek para convertirse en un buen ciudadano –contestó Tyler.

–¿Ah, sí? –insistió Strike mirando a sus dos hermanos.

Derek apretó las mandíbulas. No estaba dispuesto a decir nada. Candice no se merecía que hablaran de ella en términos hirientes.

Tyler no parecía tan dispuesto a mantener la boca cerrada.

–Ayer, después de la fiesta, Candy y Derek...

–¿Candy se lo contó a Jenna? –se sorprendió Derek.

Tyler sonrió.

Derek maldijo.

–¿Y a mí nadie me lo va a contar? –preguntó Strike.

–No fue nada –contestó Derek.

–¿Nada? –preguntó Tyler enarcando las cejas.

–Fuimos a dar un paseo en limusina.

–¿En limusina? –se sorprendió Strike.

–No fue nada –repitió Derek.

–No es eso lo que ha llegado a mis oídos –sonrió Tyler.

–Nada que no haya hecho con otras mujeres –mintió Derek.

–Lo que a mí me han contado...

–Me importa un bledo lo que te haya contado Jenna.

–Jenna no me ha contado nada –sonrió Tyler bebiéndose la cerveza–. Estaba viendo a ver qué te sacaba.

Aquello hizo estallar a Strike en carcajadas.

Derek sintió que el estómago se le encogía. No podía soportar que su hermano pequeño se la jugara.

–A ver si me entero –dijo Strike–. ¿Una noche te vas a dar una vuelta en limusina con Candy y a la mañana siguiente decides ser el ciudadano del mes de la ciudad?

–Está perdido –dijo Tyler.

–Completamente –remachó Strike.

–No fue nada –insistió Derek.

Sus hermanos se rieron al unísono. Derek sacudió la cabeza y se terminó la cerveza. No estaba perdido. Claro que no. Se dijo que otras empresas hacían cosas así constantemente.

Las razones que Candy le había expuesto le habían parecido sólidas y, además, ella se iba a encargar de todo. Él solo tendría que firmar unos cuantos documentos, poner el dinero y punto.

–Me encanta hablar de la vida sexual de Derek, pero me tengo que ir –anunció Strike poniéndose en pie–. Mi linda mujercita me espera en casa.

–Lo mismo digo –dijo Tyler–. Voy a ver si Jenna me da más información sobre Candy...

–Ni se te ocurra –le advirtió Derek.

Al mirarlo, se dio cuenta de que Tyler le estaba tomando el pelo de nuevo. Sus hermanos se alejaron en dirección a sus coches. Derek los oía hablar y reírse. No quería ni imaginarse lo que estarían diciendo.

Una vez a solas, recogió el postre y la cocina y se sentó frente al ordenador para trabajar un par de horas antes de acostarse.

A las once de la noche, decidió dejar el proyecto de un nuevo teléfono móvil en el que estaba inmerso y subió a la cama.

No podía dejar de pensar en Candy. Cerraba los ojos y veía su sonrisa, su cuerpo, sus ojos...

¿Qué estaría haciendo? ¿Estaría dormida? ¿Habría pensado en él?

Derek miró el teléfono. Siempre había tenido buena memoria, así que, en un abrir y cerrar de ojos, estaba marcando el número de Candy.

–¿Sí? –contestó ella con voz somnolienta.

Derek tuvo que hacer un gran esfuerzo para no preguntarle lo que llevaba puesto.

–Hola –la saludó.

–¿Derek?

–Solo quería decirte que, si me hubieras hablado de lo del patrimonio en la limusina, te habría dicho que sí. En aquel momento, te habría dicho que sí a cualquier cosa.

–Has dicho que sí de todas formas.

En eso, tenía razón.

Derek se quedó pensativo unos segundos, en silencio. Se le ocurrían muchas cosas que decirle, casi todas eróticas, pero cerró los ojos y se limitó a suspirar.

–Buenas noches, Candy.

–Buenas noches, Derek.

Candy se había pasado toda la noche pensando en las palabras de Derek. ¿Habría accedido a cualquier cosa que le hubiera pedido antes o después de haber hecho el amor? ¿Eso significaba que era buena en la cama o simplemente que la deseaba mucho?

Mientras seguía a Jenna a la oficina del director del hotel, se dijo que no tenía ni idea. Habían decidido empezar por allí su investigación histórica.

–¿Sabes que aquí fue donde Tyler me besó por primera vez? –le dijo su amiga mientras buscaban en los archivos de Henry Wenchel en busca de los planos arquitectónicos originales.

–¿Eso fue cuando te obsesionaste con la idea de que pasaba de ti?

–Sí, esa vez –sonrió Jenna encontrando los planos–. Estábamos buscando lo mismo que ahora.

A continuación, cerró el cajón, se acercó a la mesa de Henry y extendió los planos. Candy dio la luz y la ayudó.

–Son geniales –exclamó mirando los planos originales de 1940.

–¿Dónde te besó a ti Derek la primera vez? –le preguntó Jenna.

–Yo creo que sería mejor que los enmarcáramos –contestó Candy.

No quería pensar en los besos de Derek, ni en su olor, ni en su voz ni en nada que tuviera que ver con él.

–Venga, cuéntamelo –insistió Jenna.

–En el túnel del amor –contestó Candy–. Ya te lo había dicho. Los enmarcamos y los colocamos en el restaurante.

–Ese beso no cuenta.

–Mira, aquí se ve cuándo añadieron la sala de conferencias.

–Qué interesante. ¿Dónde te besó por primera vez?

–En la boca. ¿Sabías que el hotel tenía un sótano?

–Sí, lo convirtieron en aparcamiento hace veinticinco años. Me refería al lugar espacial y no al lugar de tu cuerpo.

–¿Queda algo del sótano original?

Jenna sonrió y se cruzó de brazos.

–Sí. Yo sé ir, pero primero tendrás que confesar. Quiero saber el lugar donde te besó Derek por primera vez.

Candy se puso a elegir los planos que estaban en mejor estado para mandarlos enmarcar.

—Eres una cotilla.

—Me han dicho que fue en la limusina.

—¿Quién te lo ha dicho?

—¿Es verdad?

—No.

—Tyler me ha contado que os fuisteis a pasear en limusina. Supongo que se lo habrá contado Derek. ¿Qué pasó con la suite Roosevelt?

¿Derek se lo había contado todo a Tyler? ¿Por qué iba a hacer algo así? Tenía treinta y cuatro años no dieciséis.

No le importaba que su amiga supiera ciertos detalles, pero no le hacía ninguna gracia convertirse en el centro de las conversaciones de todo el mundo.

—Me parece que a los hermanos Reeves-DuCarter les interesa demasiado la vida sexual de los demás.

—¿Mantuvisteis relaciones sexuales en la limusina? —se sorprendió Jenna.

—Ya veo que se te ha pegado su voyerismo.

—No te hagas la tonta. Tú fuiste la primera que quiso saber todos los detalles acerca de Tyler y de mí.

—Aquello fue diferente. Tyler era una relación seria, mientras que Derek solamente es chocolate.

Y, al igual que el chocolate, demasiado Derek le haría daño.

—Por si no te acuerdas, comencé a salir con Tyler para olvidarme de Brandon.

–Te salió bien, ¿eh? –sonrió Candy fijándose de nuevo en los planos–. Me gusta tal y como están.

–No estamos hablando de mí.

Candy suspiró.

–No, estamos hablando del hotel.

–No, estamos hablando de lo que pasó cuando Derek y tú os fuisteis de la fiesta.

–No te vas a dar por vencida hasta que te lo cuente todo, ¿verdad?

–Tú harías lo mismo.

Candy enrolló los planos que había elegido y los metió en un tubo de cartón. Lo mejor sería acabar con aquello cuanto antes. Así podría dejar de pensar en Derek para el resto del día.

–Muy bien, allá voy. Me besó en el Lighthouse el fin de semana que Tyler nos dejó encerrados. Y, sí, mantuvimos relaciones sexuales ayer en la limusina.

–¿Con el conductor y todo? –se sorprendió Jenna.

–No, la pantalla de división estaba subida. Y no me atraen los tríos, de momento.

–Ah.

–Pareces decepcionada. ¿Habrías preferido que el conductor hubiera estado mirando? ¿Desde cuándo eres así de exhibicionista?

–Me dejas de piedra.

–Dos veces –se lanzó Candy.

–¿De verdad?

–Sí.

–¿Vas a repetir?

–No. Dijimos que como el chocolate. Ya he tenido mi dosis y se acabó –contestó Candy dispuesta a irse.

–Entonces, ¿se acabó?

–Por supuesto –contestó Candy apagando la luz.

–¿Cada cuánto tiempo tienes una crisis de chocolate? –quiso saber Jenna.

–Suelo aguantar unos cuantos meses.

–Te doy unos días.

Lo cierto era que hubiera podido caer de nuevo hacía unas horas, pero no estaba dispuesta a admitirlo. Se había acostado con él con el propósito de no obsesionarse con él, pero no estaba dispuesta a repetir cada poco tiempo para mantener su salud mental.

Candy se recordó que aquel hombre era muy peligroso.

–Estás perdida –le dijo su amiga.

–Ya lo veremos. ¿Cómo se baja al sótano?

En aquel momento, se abrió la puerta y apareció Tyler.

–Por el spa –contestó Jenna–. Hay una puerta en el jardín.

–¿Una puerta en el jardín para qué? –quiso saber Tyler.

–Para bajar al sótano –contestó su mujer.

–¿Podrías acompañarme? –le preguntó Candy.

–Yo no tengo llaves. Las tiene Derek.

Candy se estremeció de pies a cabeza ante la posibilidad de volver a ver a Derek. Aquello no iba bien.

–¿Se las podrías pedir?

–No, tengo una reunión dentro de diez minutos –contestó Tyler.

–¿Y tú? –le preguntó a Jenna.

–Yo tampoco, lo siento. Tengo una reunión en la biblioteca.

–Le prometí a Derek que no le iba a molestar con la investigación histórica.

–Pero nos ibas a mandar a nosotros a molestarlo, ¿eh? –bromeó Tyler.

–Vosotros sois su familia –se justificó Candy–. ¿Y el guarda de seguridad no tiene copia?

–Sí, supongo que sí, pero no creo que te la dé a menos que tengas permiso de Derek.

–No te preocupes –le dijo Jenna a su amiga con falsa compasión–. Si fuiste capaz de hacerlo en la limusina, podrás hacerlo también en el sótano.

Candy sintió que se sonrojaba de pies a cabeza.

–Yo no sé nada –dijo Tyler levantando las manos.

–Ya sabía yo que tenía que haber una buena razón para que los Hammond nos hubiéramos mantenido alejados de vosotros, los Reeves-DuCarter, durante tanto tiempo –contestó Candy sacudiendo la cabeza.

Capítulo Nueve

Candy no tenía ninguna intención de ver a cierto Reeves-DuCarter, así que decidió que, si se daba prisa, podría visitar el sótano ella solita.

Llegó al spa sin problema y, a continuación, salió al jardín tranquilamente. En efecto, allí localizó rápido una escalera de cemento que conducía a una puerta vieja.

Perfecto. Lo único que tenía que hacer era cruzar la pradera, sortear las flores y los parterres, bajar las escaleras y abrir la cerradura con su tarjeta de crédito. Lo había visto hacer muchas veces en televisión. No creía que aquella puerta fuera a ser muy resistente teniendo en cuenta que se accedía a ella a través de un jardín interior.

Candy pasó junto a una pareja que estaba sentada en un banco de madera. Un par de mujeres mayores le sonrió mientras admiraban las rosas floridas.

Candy miró hacia atrás. No parecía que nadie le estuviera prestando atención, así que bajó las escaleras. A medida que las iba bajando, la temperatura se iba haciendo más fría. El cemento de la escalera había saltado en algunos lugares y había musgo en los rincones más húmedos.

Candy se encontró con una puerta de madera cerrada con una barra de hierro de la que pendía un viejo candado que, para su suerte, estaba abierto.

Candy miró por última vez hacia el jardín, quitó el candado y abrió la puerta.

Bingo.

Si, al final, aquello de la decoración no le daba de comer siempre podría contactar con la CIA.

Una vez dentro, palpó la pared en busca de un interruptor que no tardó en encontrar. Con la luz fluorescente encendida, Candy vio que estaba en una habitación muy grande cuyo techo estaba cruzado por tuberías metálicas y cables eléctricos. Había unas calderas enormes a un lado, pero estaban frías, lo que indicaba que ya no se utilizaban.

Abrió una puerta, encontró otro interruptor y vio que se encontraba en la antigua sala de lavandería, pues había lavadoras y secadoras de tamaño industrial. Nada de interés histórico. Avanzó por el pasillo y fue descubriendo los vestuarios de los empleados, una rampa de servicio y el cuarto de contadores.

Cuando ya creía que se iba a ir de allí con las manos vacías, fue a parar a una pared entera de armarios blancos. Al abrir el primero, se encontró con una hilera de uniformes polvorientos, pero en sorprendente buen estado. En la estantería superior había delantales y cofias y en el suelo había varios pares de zapatos intactos colocados por tallas.

Candy sonrió y siguió abriendo puertas. En el

siguiente armario encontró botellas de lejía, detergente líquido, escobas y mopas. En el tercer armario encontró menús antiguos y pensó que, tal vez, al chef actual le gustara tenerlos para incluirlos en la carta.

Con la idea en la cabeza de crear un menú histórico, se giró hacia la última estantería, donde encontró los libros de registro del hotel.

La emoción se apoderó de ella.

Candy se arrodilló y siguió buscando. Pronto encontró un montón de registros de los clientes del Quayside. Por las fechas, se dio cuenta de que eran de las primeras épocas del edificio. Un montón de gente conocida se había alojado allí.

–Póngase en pie despacio –dijo una voz masculina a sus espaldas–. Y apártese del armario.

Candy sintió que el estómago se le encogía. Al girarse, vio a un joven guarda de seguridad con una mano sobre la funda de la pistola.

–Señora, por favor, deje ese libro donde estaba y aléjese del armario.

–No lo entiende –contestó Candy–. Trabajo aquí. Solo estaba...

–¿Tiene la identificación?

–Por supuesto.

–Deje ese libro en su sitio.

–Sí –contestó Candy dejando el libro en la estantería y abriendo el bolso.

–Despacio –insistió el guarda mirándola con recelo.

102

Candy intentó sonreír mientras buscaba su cartera.

–Se lo puedo explicar todo. Estoy haciendo un informe histórico sobre el hotel y...

–De momento, déjeme ver su identificación, señora.

Candy le entregó el carné de conducir.

–Este es su carné de conducir –comentó el guarda mirando la fotografía.

–Sí.

–Lo que le estoy pidiendo es su tarjeta de empleada del hotel.

–No soy empleada del hotel. Soy...

–Venga conmigo –le indicó el joven echándose a un lado para dejarla pasar.

–Pero...

–Por favor.

–Hay mucha gente en el hotel que me conoce y que puede dar referencias sobre mí.

–Las llamaremos en cuanto lleguemos a la oficina de seguridad –contestó el guarda hablando por el interfono–. ¿John? He encontrado una intrusa en el sótano. Sube conmigo. Llama a la policía.

¿La policía? Candy se estaba enfadando.

–No soy una intrusa. Me contrató Henry Wenchel. Llámelo a través de ese artilugio y él se lo dirá.

Por cómo la miró, Candy comprendió que el hombre no la creía.

–Ya lo llamaremos desde arriba.

–¿Ah, sí? ¿Antes o después de esposarme? –se burló Candy.

–Por favor, señora, pase –le indicó de nuevo.

Candy sacudió la cabeza, tomó aire con frustración y salió por la puerta. Aquello era lo último que le apetecía. Había descubierto un tesoro y se moría de ganas por seguir investigando a ver si encontraba más cosas en los armarios.

Sentía al guarda de seguridad detrás de ella, muy cerca, como si creyera que pudiera hacer algo. Claro, era obvio que era una delincuente profesional que había entrado en el hotel para robar productos de limpieza y uniformes antiguos.

Una lógica aplastante.

Candy mantuvo la cabeza alta muy dignamente mientras cruzaban el jardín y el balneario. Cuando llegaron a la oficina de seguridad, el guarda le indicó que pasara. Candy se sentó y, para su asombro, oyó que el joven cerraba la puerta con llave y se iba.

–Llame a Henry Wenchel –le gritó.

Candy permaneció sentada en la silla con la frente apoyada en las manos, diciéndose que todo aquello se resolvería en breve. Aquella situación era de lo más vergonzosa. Ojalá Henry apareciera pronto.

El que apareció fue el guarda de seguridad de nuevo.

Menos mal.

–... no sé qué estaría haciendo ahí abajo –les estaba diciendo a dos agentes de policía uniformados–. Como el embajador va a llegar en breve, no he querido arriesgarme.

¿El embajador? ¿Qué embajador?

–¿Ha llamado a Henry? –insistió Candy.

–No he podido dar con él –contestó el guarda de seguridad.

Los agentes de policía cerraron la puerta.

–¿Le importa que le hagamos unas preguntas?

Candy mantuvo su atención en el guarda de seguridad, haciendo como que los policías no estaban allí.

–Llame a Tyler Reeves. Él le dirá quién soy.

–Primero, tendrá que contestar a nuestras preguntas –dijo uno de los agentes sacando una libreta.

–Si llaman a Tyler Reeves, no habrá necesidad de que conteste a sus preguntas –contestó Candy.

–¿Qué estaba usted haciendo en el sótano? –preguntó el otro agente.

–Estaba buscando información para hacer un proyecto sobre la historia del hotel.

–¿Para qué es ese proyecto?

Candy no contestó inmediatamente. No estaba segura de si podía confiar en el guarda de seguridad. Si, al enterarse de que iban a pedir la declaración de Patrimonio Histórico para el hotel, se lo contaba a los demás empleados, el efecto sorpresa para cualquier campaña de publicidad quedaría anulado.

En aquel momento, se abrió la puerta y apareció Derek, que miró a su alrededor hasta que sus ojos se posaron en ella.

–Ya me ocupo yo de esto –les dijo a los agentes tendiéndoles la mano–. Gracias por acudir tan rápido.

–¿Conoce usted a esta mujer? –le preguntó uno de ellos.

–Sí, la conozco –contestó Derek.

El guarda de seguridad palideció.

Los policías se marcharon y Derek se giró hacia el joven para estrecharle la mano.

–Buen trabajo.

El joven se relajó.

–Esta mujer tiene permiso para moverse libremente por el hotel –le explicó Derek.

–Lo siento mucho...

–No pasa nada –lo tranquilizó Derek dándole una palmada en el hombro–. Lo ha hecho bien –añadió abriendo la puerta e invitándolo a irse.

Una vez a solas, Derek se apoyó en la puerta y sonrió. Era obvio que estaba haciendo un gran esfuerzo para no estallar en carcajadas.

–¿Lo ha hecho bien? –se burló Candy, que no sentía ningunas ganas de reírse.

–Sí, el guarda de seguridad ha hecho bien su trabajo –contestó Derek–. No iba a ignorar a una mujer a la que no conoce que está deambulando por el sótano abandonado. Podrías haber estado poniendo una bomba.

–Estaba leyendo menús antiguos.

–Sí, pero él no lo sabía.

–Podría haber indagado un poco antes de llamar

a la policía. Ya me veía esposada en la comisaría central.

–No te preocupes, yo habría pagado tu fianza –le aseguró Derek dando un paso al frente.

Candy se puso en pie.

–Muchas gracias.

–¿Qué estabas haciendo ahí abajo?

–Estaba buscando información y objetos antiguos para la presentación de la solicitud de Patrimonio.

–¿Y has encontrado algo?

–Sí –contestó Candy olvidándose del episodio que acababa de vivir y recuperando el entusiasmo de los hallazgos–. He encontrado los libros de registro originales. Voy a volver a bajar ahora mismo.

–Vamos.

–¿Vamos?

–Sí, voy contigo, no quiero que te vuelvan a arrestar.

–No me han arrestado.

–Casi –sonrió Derek–. Tendría que haber esperado para verte con esposas.

–Pervertido.

–Cómo lo sabes –contestó Derek con un brillo divertido en los ojos.

Candy intentó ignorar el escalofrío que le recorrió la columna vertebral.

–¿Y no tienes ninguna reunión o algo así? –se extrañó.

–No –contestó Derek.

–¿Ninguna conferencia ni ningún documento que firmar?

–Nada. Anda, vamos.

Mientras seguía a Candy por el pasillo, Derek se sacó el teléfono móvil y le mandó un mensaje de texto a su secretaria para que cancelara la reunión que tenía a las tres de la tarde.

–¿Cómo vas a enfocar la presentación? –quiso saber Derek.

–¿Por qué lo quieres saber? –preguntó Candy con desconfianza.

–Te recuerdo que se trata de mi restaurante y de mi edificio. Creo que tengo derecho a preguntar.

–Creía que iba a llevar yo el proyecto porque a ti no te interesaba –contestó Candy mientras cruzaban el spa.

–He cambiado de opinión.

–Pero...

–Es una broma, Candy. No pienso interponerme en tu camino. Solo es curiosidad. Quiero saber qué tal te va.

–La verdad es que todavía no he elegido un tema central –contestó Candy–. Cuando encontré los menús, pensé que podría centrarme en los estilos de moda de aquella época y buscar información sobre la vida social, las veladas y las cenas de aquel entonces, pero, cuando encontré los libros de registro y vi la cantidad de gente famosa que se ha hospedado en el hotel, me di cuenta de que podríamos obtener algo espectacular si buscamos bien.

Derek asintió mientras salían al jardín.

–Me gusta la idea.

–¿De verdad?

–Sí, es buena. ¿Has pensado en hablar con Marco Elliot?

–¿Con quién?

–Con Marco Elliot. Mi familia le compró el hotel a la suya a mediados de los años sesenta. Ellos fueron los primeros propietarios.

Candy lo miró con interés.

–¿Y sigue vivo?

–Solo tiene cuarenta y cinco años. Es el nieto del Elliot que construyó el Quayside.

Candy asintió.

–Me interesa, quiero hablar con él.

–Espera un momento, lo voy a llamar antes de entrar en el sótano porque no creo que allí dentro tenga cobertura.

–¿Así sin más?

–Sí, así sin más.

–¿Y te sabes su número?

–Tengo muy buena memoria.

–Increíble.

–Sí, soy un hombre increíble –sonrió Derek–. Con Marco Elliot, por favor –le dijo a la persona que le contestó el teléfono–. Soy Derek Reeves.

Candy se quedó mirándolo fijamente y Derek le devolvió la mirada. Había intentado no pensar en ella, pero en aquellos momentos estaba recordando con todo lujo de detalles la noche que habían pasado juntos.

–Hola, Derek, ¿qué tal estás?

–Hola, Marco, estoy bien. Muy bien, la verdad. ¿Y tú?

–Lo cierto es que la empresa va bien, pero estoy un poco preocupado por los precios del metal en el mercado internacional. ¿Qué le vamos a hacer?

Derek chasqueó con la lengua.

–¿Tendrías tiempo para que nos viéramos esta tarde un rato y tomáramos algo?

Candy lo miró con los ojos muy abiertos. Aquella expresión le recordó a Derek sus orgasmos y se sintió atrapado por los recuerdos.

–Claro que sí –contestó Marco–. ¿Te va bien después de las cuatro?

–Perfecto –contestó Derek.

–¿Qué haces? –le preguntó Candy.

–¿Te apetece que nos veamos en el Sea Shanty? –propuso Marco.

–Muy bien, eso suena a noche de margaritas.

–Nos vemos allí –contestó Marco despidiéndose.

Derek colgó el teléfono.

–Creía que la cita iba a ser para mí –comentó Candy.

–Así es mejor –contestó Derek indicándole las escaleras que bajaban al sótano–. Marco me conoce y confía en mí.

–Pero tú tendrás cosas que hacer –objetó Candy comenzando a bajar.

–Hoy me has pillado en un día tranquilo.

–Todo esto lo puedo hacer yo sola –insistió Candy.

–Ya lo sé –contestó Derek mandándole otro mensaje de texto a su secretaria mientras seguía a Candy.

Registraron el resto del sótano, pero Candy no encontró nada que le entusiasmara, así que Derek recogió los libros de registro de los huéspedes y los menús antiguos y los cargó en el coche.

A continuación llevó a Candy al Sea Shanty. Marco había reservado una mesa junto a la barandilla, sobre la playa. Aunque estaban ya fuera de temporada, hacía buen tiempo, corría una brisa agradable y la marea estaba baja, así que había parejas y familias en la playa, recogiendo veneras, haciendo castillos de arena y aprovechando los últimos rayos de sol antes de la llegada del otoño.

–Estamos recabando información sobre la historia del Quayside –informó Derek a Marco cuando la camarera les hubo llevado las margaritas que habían pedido.

–¿Qué estáis buscando exactamente? –quiso saber Marco.

–He encontrado los libros de registro originales en el sótano y tengo la esperanza de que haya un par de personas famosas entre los huéspedes –contestó Candy entusiasmada.

Marco sonrió a Candy y Derek sintió celos por una enésima de segundo.

–¿Como el príncipe Iván de la princesa Katrina? Por lo visto, se hospedaron en la suite Roosevelt.

–¿De verdad? ¿Cuándo? –preguntó Candy emocionada.

–Según lo que contaba mi abuelo, fue a mediados de los años cuarenta.

–¿Y qué pasó? –preguntó Candy echándose hacia delante.

Marco tiró de su silla también hacia delante y se inclinó sobre ella, bebiéndose su sonrisa y su voz.

–Me parece que le pidieron al servicio de habitaciones un faisán.

–¿Eso es todo?

Derek no sabía si apenarse porque Candy no hubiera obtenido la historia que buscaba o sentirse agradecido de que Marco la hubiera defraudado. Cuando se le había ocurrido aquella reunión, no había contado con que Marco y Candy pudieran sentirse atraídos el uno por el otro y, desde luego, no se le había pasado por la cabeza que aquello pudiera molestarle.

–Bueno, ocuparon una planta entera porque llevaban un montón de agentes de seguridad y una pequeña corte.

–¿Ya está? ¿Ninguna historia interesante? –insistió Candy.

–¿Es eso lo que buscas? –le preguntó Marco con voz aterciopelada.

Derek apretó los dientes.

–Sí –contestó Candy.

–Entonces, tendríamos que hablar de David Stone y de Jake Seymour.

–¿Los cantantes?

–Aquellos sí que eran terroríficos –contestó Marco sonriendo y guiñándole el ojo mientras aproximaba su mano a la de Candy por encima de la mesa.

Derek carraspeó.

–Te advierto que la información que obtengamos la vamos a presentar ante la Sociedad Histórica.

Marco pareció recordar de repente la presencia de Derek.

–Ah, bueno, entonces será mejor que esas historias las dejemos para otro momento –le dijo a Candy.

Derek estaba empezando a considerar seriamente aquello de utilizar a Marco para obtener información. No podía decirle que se echara atrás y que no ligara con Candy pues, al final cabo, no era asunto suyo que a Marco le gustara ella o que a ella le gustara él.

Derek dio un buen trago al tequila.

–¿Se te ocurre algo interesante para todos los públicos? –preguntó Candy.

–Una vez Adele Albingnon se presentó en el hotel con siete pequineses.

–Eso suena bien –contestó Candy.

–En aquel momento, estaba prohibido meter perros en el hotel, pero, cuando aparece un perro con un collar que vale más que tu coche...

Candy tuvo que acercarse a Marco para oírlo, pues la playa se estaba llenando de gente que había salido de trabajar.

–Cada uno de los siete perritos llevaba abrigo y un lazo en el pelo y cada uno tenía una niñera para él solo.

Aquello hizo reír a Candy.

–Pidieron higadillos salteados y muslitos de pollo e hicieron que se les sirviera en fuentes de plata. Por supuesto, mi padre tuvo que apartar aquellas piezas de la vajilla, habría sido de muy mal gusto ponérselos a los huéspedes humanos de nuevo.

–¿Crees que todavía estarán por ahí?

–¿Las fuentes?

«No, los perros», pensó Derek dándole otro trago a su margarita.

Candy asintió.

Marco se encogió de hombros.

–No lo sé. Puede que tengamos alguna fotografía en casa. Podrías encargar reproducciones.

Candy lo miró encantada.

–¿Tienes fotografías del hotel? –le preguntó estupefacta.

–Sí, hay álbumes del abuelo en el desván. ¿Quieres venir a casa y te los llevas?

–¿Puedo? –preguntó Candy con reverencia.

–Ya me pasaré yo a buscarlos mañana –intervino Derek.

Marco y Candy se giraron hacia él.

–Me pilla de paso –le dijo Derek a Candy.

Candy abrió la boca para protestar, pero Marco se le adelantó.

–Me parece buena idea.

Estupendo, ahora resultaba que Marco se había creído lo que no era.

Capítulo Diez

–Tengo los álbumes –le dijo Derek a Candy a la mañana siguiente por teléfono.

Candy tuvo que hacer un gran esfuerzo para no estremecerse de pies a cabeza al oír su voz.

–No te atrevas a abrirlos sin mí delante.

Derek se rio.

–Por supuesto que no. ¿Quedamos para comer?

–Muy bien –contestó Candy–. Jenna también quiere venir.

–¿De verdad?

Jenna negó con la cabeza.

Candy le asintió insistentemente a su amiga. Habían pasado menos de setenta y dos horas desde que se había acostado con Derek y estaba comenzando a tener el síndrome de abstinencia. No quería estar con él a solas. No se fiaba de sí misma.

–No puedo acompañaros –murmuró Jenna.

–Sí, claro que puedes –insistió Candy tapando el auricular del teléfono.

–Creo que lo más fácil será que nos veamos en mi casa –sugirió Derek.

–¿En tu casa? –exclamó Candy.

–Sí. Los registros y los menús están en mi casa.

Candy maldijo en silencio. Había vuelto a casa en taxi la noche anterior precisamente para que Derek no la llevara.

–¿En su casa? –sonrió Jenna.

–Te vas a venir conmigo.

–He quedado con Tyler.

–Pues le llamas y le dices que te ha surgido una cosa.

–¿Candy?

–Dime, Derek.

–¿Quieres que te pase a buscar?

–No, ya vamos nosotras por nuestra cuenta.

Jenna negó con la cabeza y Candy volvió a asentir.

–Me parece bien. Nos vemos allí.

–Hasta luego –se despidió Candy colgando el teléfono.

–Yo no voy –le advirtió Jenna.

–Cancela la cita con tu marido –le dijo Candy.

–Es nuestro aniversario. Hoy hacemos cuatro meses de casados.

–Lo puedes celebrar esta noche.

–Debe de estar a punto de llegar.

–Entonces, vámonos inmediatamente.

–Este asunto de Derek es problema tuyo.

–Fuiste tú la que me dijiste que me acostara con él.

–Sí, y te gustó.

–No... bueno, sí.

–Pues repite. No creo que te haga daño. Incluso puede que te venga bien.

117

–¿Crees que voy a seguir tus consejos otra vez?

Jenna sonrió. En aquel momento, se abrió la puerta del despacho y entró su marido.

–¿Estás lista, cariño?

–Sí –contestó Jenna.

Candy dejó caer los hombros en señal de derrota.

–Soy adicta al chocolate –susurró.

Su amiga sonrió y le dio una palmada en el hombro al pasar junto a ella.

–No te preocupes, te inscribiré en un programa de esos de desintoxicación.

Candy aparcó el coche frente a la casa de Derek, apagó el motor y se quedó mirando la entrada en busca de valor. No tenía alternativa. Derek tenía los menús. Y los registros. Y los álbumes de fotografías.

Además, Myrna West había llamado aquella mañana. Por lo visto, el propietario del edificio, o sea, Derek, tenía que hacer la presentación formal el sábado.

Aquello quería decir que lo necesitaba más que nunca.

Candy salió del coche con unos cuantos libros y varias carpetas, avanzó hacia el porche y se fijó en que detrás de la casa se veía el lago.

Perdida en sus pensamientos, llamó al timbre. Le abrió la puerta una mujer robusta de pelo cano que le dio la bienvenida con una sonrisa.

–Hola, soy Candice Hammond. Derek me está esperando –le dijo.

–Hola, Candy –la saludó el aludido.

–¿La puedo ayudar con los libros? –le preguntó el ama de llaves.

–Ya me ocupo yo, señora Bartel –contestó Derek tomando los libros de manos de Candy–. Gracias –añadió invitando a Candy a que pasara–. He pensado que podríamos estar bien en el invernadero.

Candy le dio las gracias a la señora Bartel y siguió a Derek hacia el invernadero. Aquello sonaba bien. Seguro que era un lugar maravilloso lleno de ventanales, con mucha luz y en el que habría una doncella entrando y saliendo continuamente preparando el almuerzo. No tenía nada de que preocuparse. Seguro que no era un lugar demasiado íntimo.

Derek abrió una puerta corredera y le indicó que entrara. Al hacerlo, Candy vio que se encontraba en una estancia que parecía más un jardín tropical que un invernadero. Había columnas de piedra por las que subían las enredaderas, un jardín con estanque y peces incluidos y una pequeña cascada. Aquí y allá, había muebles de mimbre y algunas palmeras.

–Esto es increíble –exclamó Candy girándose hacia Derek.

Derek sonrió.

–Tendrías que verlo por la noche. El jardinero ha puesto luces en la fuente y se ven las estrellas a través del techo de cristal.

Derek dejó los libros sobre la mesa y Candy se

fijó en que estaban también allí los registros, los menús y los álbumes de fotos.

—Me encantaría verlo de noche —contestó dándose cuenta al instante de lo que estaba diciendo.

—Cuando quieras —sonrió Derek indicándole que se sentara.

Acto seguido, se sentó él también y abrió la carpeta que Candy había llevado.

—¿Qué es esto? —le preguntó.

—Nada de lo que tengas que preocuparte.

—¿Qué es?

—La solicitud. Ya he rellenado yo todas las cuestiones técnicas y arquitectónicas. Solo quedan por añadir las anécdotas divertidas —le explicó Candy agarrando un álbum de fotos—. ¿Tú crees que a Marco le importaría ayudarnos?

—¿A qué? —quiso saber Derek.

Candy no estaba segura de haber comprendido muy bien la pregunta.

—Bueno, a recabar más historias...

—Ya hablaré con él —le aseguró Derek con el ceño fruncido.

Candy no entendía por qué Derek quería perder el tiempo en aquello.

—Pero...

—No te preocupes, lo anotaré todo —la interrumpió Derek.

—No quiero que pierdas el tiempo.

—No es una pérdida de tiempo.

—Derek, sé que eres un hombre ocupado.

–Ya me encargo yo de Marco y no se hable más.

Candy no discutió.

A continuación, hojeó el álbum. Las fotografías eran antiguas, en blanco y negro, y Candy no podía dejar de especular sobre quiénes serían las personas que aparecían en ellas, así que, al final, Derek marcó el teléfono de Marco y puso el manos libres para que contestara a todas las preguntas de Candy, que estuvo tomando notas durante casi una hora, riéndose maravillada de las historias que Marco le contaba.

–Te gusta Marco, ¿verdad? –le preguntó Derek tras colgar el teléfono.

–En estos momentos, es mi héroe –contestó Candy revisando sus notas–. Esto es fantástico, pero no sé cómo voy a conseguir utilizar toda la información.

–Tiene fama de ser un ligón, para que lo sepas.

Candy se quedó mirándolo fijamente. Se había olvidado de que Derek tenía un temperamento impredecible.

–¿Quieres que me vaya? –le preguntó.

Tal vez llegara tarde a alguna reunión por su culpa. Candy se puso en pie dispuesta a irse.

–No hemos comido todavía –le recordó Derek.

–Ya, pero si llegas tarde a algún sitio...

–No, no llego tarde a ningún sitio.

–Entonces, ¿qué te pasa?

Derek se cruzó de brazos.

–No quiero que te líes con Marco.

–Pero si has sido tú el que nos ha presentado –se extrañó Candy.

–Ya lo sé, pero no me gusta para ti.

–Derek, voy a utilizar sus historias, pero no voy a salir con él –le aseguró Candy.

Derek la miró intensamente y Candy comprendió.

–Ahhhh, crees que me gusta...

–¿Y no es así?

–En absoluto –sonrió Candy.

Marco era un tipo agradable, pero le recordaba a un cachorro sin amaestrar, lleno de energía y entusiasmo desbocado. El tipo de hombre que pasaba de mujer en mujer como si las coleccionara.

–¿Seguro? –insistió Derek.

Candy se cruzó también de brazos, imitando su postura.

–Estoy trabajando en una presentación, Derek. En estos momentos, lo último que hay en mi mente es sexo.

Mentira.

–Qué curioso, porque yo no puedo parar de pensar en ello... –sonrió Derek.

El pánico se apoderó de Candy.

–No.

–¿No qué?

Candy sintió que el corazón se le aceleraba.

–No podemos volver a hacerlo.

–¿Por qué no?

–Porque tenemos una relación laboral. Trabajas

con mi padre y soy la socia de tu cuñada. Yo creo que las cosas ya están suficientemente liadas tal y como están como para complicarlas todavía más.

–¿Tú crees que si volviéramos a hacer el amor las cosas cambiarían mucho?

«¡Sí!», pensó Candy.

Aun así, la tentación era muy fuerte.

–¿Y luego qué, Derek? ¿Habría una tercera vez? ¿Y una cuarta y una quinta? ¿Y cuándo pararíamos? Ahora podemos cortar por lo sano.

Por lo menos, así lo creía ella. Se negaba a admitir que pudiera estar en el punto sin retorno.

–Eres preciosa –le dijo Derek.

–Y tú eres incorregible –contestó Candy intentando resistirse.

–Es parte de mi encanto –contestó Derek–. Así es como consigo que las mujeres se desnuden ante mí.

–¿Aquí? ¿Con el ama de llaves rondando por ahí? Estás loco.

–Tengo un dormitorio.

–Ya supongo.

–Con una puerta que se puede cerrar con llave.

–Tengo que trabajar –contestó Candy echando los hombros hacia atrás–. ¿Me quieres ayudar con el proyecto o voy a tener que irme a otro sitio para poder concentrarme?

–No vas a ceder, ¿verdad?

Candy negó con la cabeza.

–Entonces, te ayudo con la presentación.

Se lo acababa de poner en bandeja para decirle que le necesitaba para que hiciera la presentación el sábado. No era el momento perfecto para pedirle un favor, pero no había tiempo que perder.

–Me alegro de que quieras ayudarme –comenzó– porque la Sociedad Histórica quiere que hagas la presentación formal el sábado.

–¿Yo? –se sorprendió Derek.

–Sí. Por lo visto, la solicitud la tienen que presentar los propietarios.

Derek sonrió encantado y Candy se dio cuenta de que iba a querer negociar.

–No –le dijo.

–No te he pedido nada.

–Lo ibas a hacer.

–¿Podemos negociar?

–No pienso acostarme contigo a cambio de la presentación.

–¿Quién ha hablado de sexo?

–No soy tonta. Llevas hablando de sexo diez minutos.

–Y llevo pensando en sexo cuatro semanas.

–Estuviste de acuerdo en que, si te dieran la declaración de Patrimonio Histórico, la comunidad saldría ganando y tú podrías utilizarlo como trampolín para hacer dinero. Soy yo la que te ha hecho un favor, así que me deberías dar algo a cambio.

–Cuando quieras y donde quieras –sonrió Derek.

Candy puso los ojos en blanco.

–Solo te iba a pedir un beso –dijo Derek.

–¿Un beso?

–Un beso.

Candy lo miró con incredulidad.

–¿Recuerdas lo que ocurrió la última vez que empezamos jugando con besitos?

–Por supuesto que lo recuerdo.

–No me parece buena idea.

–Como tú has apuntado hace un rato, la señora Bartel anda por aquí y te aseguro que no me haría mucha gracia que nos pillara. Solo será un beso.

–¿Solo un beso?

–Sí.

–Si te beso, tú haces la presentación.

–Exacto.

–El sábado a las diez en punto.

–Allí estaré.

–¿Por un beso?

–Dejémoslo en dos.

Candy tomó aire y se abrochó los botones superiores de la camisa, lo que hizo a Derek chasquear con la lengua.

–¿Quieres un cinturón de castidad?

–No es mala idea.

–Llevamos hablando más tiempo del beso de lo que vamos a tardar en dárnoslo.

Candy sonrió.

–Quiero que las cosas queden claras antes de empezar.

Derek se acercó y la tomó de la mano.

–¿Te interesaría trabajar para mí algún día?

–¿Haciendo qué?

–Negociaciones. Eres pura dinamita.

–Solo porque tú eres débil y porque no sales con mujeres lo suficiente.

–¿Te crees que me siento atraído por ti porque llevo tiempo sin salir con una mujer?

–Podría ser.

–Pero no es –le aseguró Derek.

Candy tomó aire mientras sentía que el deseo se apoderaba de su cuerpo. Las manos comenzaron a sudarle y el ruido del agua zumbaba en sus oídos. El deseo que sentía por Derek le hizo acercarse a él.

–Supongo que esto es un sí –comentó él pasándole el brazo por la cintura.

–Sí –murmuró Candy apoyándose en su pecho y pasándole los brazos por el cuello.

Candy sintió los labios de Derek en su boca. Ambos conocían bien aquel territorio, así que ninguno dudó en abrir la boca y hacer el beso más profundo.

Qué bueno. Aquello era lo mejor que Candy había sentido en su vida. Aunque solamente fuera un beso, le estaba llenando el cuerpo entero de un calor líquido que hacía que le temblaran las extremidades y se le calentara la piel.

El primer beso se convirtió en otro beso y, luego, llegó otro y vino el cuarto y Candy quería cada vez más, quería sentir la piel de Derek desnuda. Se dijo que podían hacerlo, que podían apresurarse.

¿En el sofá de mimbre? ¿Detrás de la fuente?

¿Debajo de un arbusto? En aquel momento, se abrió la puerta que había al final del camino de tierra.

Derek se apartó y consultó el reloj.

–Justo a tiempo –comentó con la respiración entrecortada.

Candy parpadeó tomando aire.

–¿Sabías cuándo iba a entrar?

–Uno tiene que tenerlo todo controlado.

Capítulo Once

Derek se obligó a sí mismo a permanecer alejado de Candy durante los tres días siguientes.

Tenía muy claro que quería volver a acostarse con ella y, cuando se proponía algo, siempre lo conseguía, así que la única manera de frenarse era no acercarse a Candy.

Hablaron por teléfono y se enviaron varios faxes sobre la presentación, pero no se vieron. Derek se encontró dedicándole mucho tiempo al proyecto de Candy y teniendo que recuperar aquellas horas por la noche en casa.

El viernes por la tarde, le llamaron sus hermanos y le convencieron para ir a la última barbacoa en la playa de la temporada.

Derek estaba muy cansado, pues aquella semana había trabajado mucho, y se acercó a Jenna para decirle que se iba a ir, pero, en aquel momento, vio llegar a Candy y se dijo que sería de mala educación por su parte irse justo cuando ella llegaba. Además, se dijo que no había peligro, que estaban en un lugar público y que no pasaría nada.

Candy se bajó del coche, buscó a su amiga con la mirada y, al verla, sonrió encantada. Al ver a Derek justo a su lado, se le borró rápido la sonrisa del rostro.

—¿No le habías dicho a Candy que iba a venir yo también?

—¿Candy? —sonrió Jenna.

—Candice —se corrigió Derek.

—¿Tendría que habérselo advertido? ¿Tan mal os lleváis?

—No, nos llevamos mal —le aclaró Derek—. Somos amigos.

—¿Solo amigos?

—Sí, no quiere nada más conmigo —admitió Derek.

—Es que te tiene miedo.

Aquello hizo reír a Derek. Qué ridiculez.

—Candy no tiene miedo de nada. Es una mujer muy dura —contestó Derek viendo por el rabillo del ojo que la aludida estaba luchando para sacar una gran nevera roja del coche—. Ahora mismo vuelvo. Voy a ayudarla —concluyó corriendo a su lado—. Hola. ¿Te ayudo? —añadió arrebatándole la nevera sin esperar su respuesta.

—Hola —lo saludó ella—. ¿Qué tal estás?

—Muy bien —contestó Derek dándose cuenta de repente de que era cierto que se encontraba muy bien.

Debía de ser porque estaba a su lado.

—Me he leído la versión final de la presentación esta tarde. Parece que estamos listos para darles guerra.

—Acabo de terminar hace una hora de escanear las últimas fotografías –contestó Candy.

—¿Quieres que quedemos mañana por la mañana para echarle un último vistazo al proyecto? –propuso Derek llegando a la arena.

—¿Tú crees que merece la pena?

—Sí, hay que ensayar. ¿Quedamos en mi despacho?

—Muy bien.

Derek sonrió encantado. Se encontraba estupendamente.

—Voy a dejar esto a la sombra.

—Gracias.

—De nada.

Jenna y Erin se reunieron con Candy mientras Tyler y Striker miraban a su hermano y sonreían. Derek apretó las mandíbulas y dejó la nevera.

—El hecho de que vosotros no sepáis comportaros como Dios manda, no quiere decir que yo no sea un caballero.

—Ya –murmuró Tyler.

—¿Jugamos al voleibol? –propuso Jenna.

—¡Sí! –exclamó Derek.

De repente, sentía la imperiosa necesidad de quemar energía. Tras jugar varios partidos, las mujeres se tumbaron en las toallas a tomarse un cóctel de frutas mientras Derek jugaba al disco con sus hermanos.

Cuando Tyler hacía una buena parada, Jenna lo animaba y, cuando Striker conseguía atrapar el disco, Erin gritaba emocionada. Derek intentaba que no le importara que después de sus paradas no hubiera gritos de júbilo.

Sin embargo, después de una parada espectacular en la que rodó por la arena con el disco blanco apretado contra el pecho, no pudo evitar mirar a Candy.

Candy le sonrió y levantó los pulgares.

Derek se sintió como si hubiera parado el gol que daba la victoria a la selección de su país en los mundiales de fútbol. Se puso en pie rápidamente con una sonrisa bobalicona en los labios y le volvió a lanzar el disco a su hermano Striker.

Para cuando terminaron de jugar y, después de haberse tomado unas hamburguesas, había oscurecido y encendieron una fogata alrededor de la cual colocaron toallas y mantas.

Hacía una noche maravillosa y las estrellas brillaban como diamantes en el cielo. Erin se recostó en Striker y Jenna se perdió entre los brazos de su marido.

Derek pensó que a él le encantaría colocarse al lado de Candy, sentarla entre sus piernas y apoyarla contra su pecho, aspirar el aroma de su pelo y sentir el calor de su cuerpo, pero no podía ser porque su relación...

¿Qué relación? Entre ellos no había ninguna relación.

Derek se apresuró a apartar aquel pensamiento de su mente, pero lo cierto era que se sentía solo. Al mirar a Candy, comprendió que ella se sentía incómoda con las dos parejitas haciéndose arrumacos y hablando en susurros.

–¿Quieres que vayamos a dar un paseo por la playa? –le propuso.

–Claro que sí –contestó Candy visiblemente aliviada.

Los otros cuatro apenas se percataron de su ausencia. Una vez junto al agua, Derek le agarró la mano y ella no la retiró, lo que hizo que Derek se sintiera bien.

–Jenna me ha dicho una cosa antes que me ha hecho pensar –comentó Derek.

Candy dio un respingo.

–Me ha dicho que tienes miedo de mí.

–¿Cómo? –exclamó Candy parándose en seco.

Derek se giró hacia ella. La luz de la luna bañaba su rostro, no iba maquillada y a Derek le pareció la mujer más guapa sobre la faz de la tierra.

–No quiero que me tengas miedo, Candy –susurró Derek.

Candy sonrió levemente y sacudió la cabeza.

–No te tengo miedo...

–Ah, bueno.

–... exactamente.

–¿Qué quiere decir «exactamente»?

–Me haces perder el equilibrio –admitió Candy.

Derek la tomó de la otra mano y la miró a los ojos.

–¿Porque te excito?

–Porque nunca sé lo que estás pensando.

–¿Quieres saber lo que estoy pensando en estos momentos?

–No estoy segura.

–Estoy pensando que eres preciosa.

–Derek.

–Estoy pensando que quiero besarte.

–No digas eso...

–Claro que me paso el día pensando en que quiero besarte, así que no es nada nuevo...

Dicho aquello, se inclinó sobre ella y la besó. Candy no se retiró. Derek le pasó los brazos por la cintura y Candy le pasó los brazos por el cuello. Se besaron lenta y tiernamente. Aquello era exactamente lo que Derek había deseado en la hoguera. Tenerla entre sus brazos, a su lado, besarla, sentirla cerca.

–Vente a dormir a mi casa –le dijo.

–Pero...

–Te necesito, Candy.

–¿Y los demás? ¿Qué van a pensar? –contestó Candy mirando hacia la hoguera.

–Me da igual lo que piensen.

–No podemos...

–Claro que podemos –insistió Derek mirándola a los ojos–. Podemos hacer lo que nos dé la gana–. ¿Quieres que nos vayamos a mi casa?

El viento había cesado. Las olas no hacían ruido al llegar a la orilla. Candy lo miró a los ojos.

–Sí –contestó.

133

La deseaba.

Candy tuvo que hacer un gran esfuerzo para no pedirle a Derek que parara urgentemente el coche en el arcén, pues solo pensaba en tirarse sobre él allí mismo.

Al llegar a su casa, bajaron del coche apresuradamente y subieron las escaleras a toda velocidad. La casa estaba a oscuras, únicamente iluminada por las luces exteriores del jardín.

Sin hablar, Derek la tomó de la mano y la condujo escaleras arriba.

–¿Y el ama de llaves? –le preguntó Candy.

–Esta noche no duerme aquí.

Al llegar a la planta superior, Derek abrió una puerta y Candy se encontró en un dormitorio magnífico de techos altísimos. En el centro de la estancia había una cama muy grande cubierta por un edredón verde y dorado.

–¿Luces? –preguntó Derek.

Candy negó con la cabeza.

–¿Vino?

Candy cerró los ojos y volvió a negar con la cabeza.

–Tú. Ahora.

Derek la tomó en brazos y comenzó a besarla por el cuello, lo que hizo que Candy se estremeciera de pies a cabeza.

–Oh, Candy, si supieras cuántas veces te he imaginado aquí.

–¿Ah, sí? ¿Y qué hacía exactamente en esta habitación? –le preguntó descaradamente.

–No creo que quieras saberlo –se rio Derek.

–Claro que quiero. Por eso lo he preguntado –sonrió Candy con aire travieso.

Aquellas palabras excitaron a Derek. Candy aprovechó para quitarse la blusa y quedarse ante él en sujetador.

–Si no me dices nada, no voy a saber qué hacer.

–Candy.

–Yo siempre te imagino a ti desnudo en mi habitación –continuó ella.

–¿Me imaginas en tu habitación?

–Desnudo.

–No hay problema –dijo Derek quitándose la camiseta y los pantalones cortos.

En la limusina, Candy no había tenido oportunidad de verlo completamente desnudo. Ahora, sí. Aquel hombre tenía un cuerpo espectacular de pies a cabeza.

–Eres mejor al natural que en mi imaginación.

Derek gimió satisfecho y atrajo a Candy hacia sí agarrándola de la cinturilla del pantalón.

–Yo siempre te imagino con prendas de seda o de raso.

–¿Y tienes algo por ahí de seda o de raso que me pueda poner?

–No –contestó Derek desabrochándole los vaqueros y bajándole la cremallera–. ¿Y tú tienes algo interesante por ahí?

–Mira a ver.

Derek acarició el frontal de sus braguitas.

–Oh, sí.

Candy sintió que las sensaciones se apoderaban de ella y se apoyó en los hombros de Derek. No tardó en deshacerse de sus vaqueros y en comenzar a besarlo por el torso desnudo, que estaba salado de los baños en el mar.

–Te imagino en mi cama –murmuró Derek–. Desnuda, sonriendo...

Candy se apartó levemente, se quitó el sujetador y lo dejó caer junto a las braguitas al suelo. No se sentía avergonzada en su desnudez en absoluto. Se sentía poderosa y bella.

Derek la miró con deseo, excitándola todavía más. Candy se acercó a la cama y Derek la siguió.

–¿Así? –le preguntó Candy sentándose sobre la colcha.

–Tumbada –contestó Derek con voz ronca.

Candy se tumbó esparciendo su melena sedosa sobre las almohadas.

–Perfecta –sonrió Derek con reverencia–. Me parece que me voy a quedar aquí sentado mirándote toda la noche.

–De eso nada –contestó Candy enarcando las cejas.

–Convénceme de lo contrario.

Candy se sentó de nuevo y le abrazó con las piernas de manera que la boca de Derek quedaba frente a sus pechos. Derek tomó uno de sus pezones y comenzó a lamerlo.

–¿Vamos a negociar, Derek Reeves?

–Por supuesto –contestó Derek–. Tú y yo siempre lo hemos negociado todo. Lo malo es que tú eres mucho mejor negociadora que yo y siempre te sales con la tuya. Te bastaría con chasquear con los dedos para que fuera tuyo para toda la vida.

Candy comenzó a besarlo con pasión, dejando que las sensaciones se apoderaran de ella. Quería sentirlo todavía más cerca.

–Ahora –le dijo.

–Pero...

–Mis pechos a cambio de tu...

Antes de que le diera tiempo de terminar la frase, Derek se había colocado entre sus piernas y la había penetrado.

Por fin.

Candy lo abrazó con las piernas por la cintura y lo apretó contra su cuerpo sin dejar de besarlo mientras Derek la acariciaba entrando una y otra vez en su humedad.

Candy quería que aquello durara para siempre, pero, al cabo de un rato se le nubló la vista y escuchó la respiración entrecortada de Derek. El sudor corría entre sus cuerpos y la pasión había alcanzado cotas que rayaban el dolor para cuando Derek gritó su nombre y se desplomó sobre ella.

Candy sintió oleadas de placer por todo el cuerpo. Derek pesaba bastante, pero Candy no quería que se moviera. Aquello era como estar en el paraíso. Se sentía completamente satisfecha.

–¿He entendido bien tu fantasía? –le preguntó en tono de broma.

–A las mil maravillas –contestó Derek tumbándose boca arriba en la cama y arrastrándola con él, sentándola a horcajadas sobre su cuerpo y tapándola con la colcha–. No te puedes ni imaginar cuántas noches he pensado en ti tumbado en la cama.

–¿Cuántas? –le preguntó Candy sintiendo que el corazón le explotaba de felicidad.

–He perdido la cuenta.

–¿Desde cuándo?

–Desde aquel beso tontorrón en el túnel del amor, cuando me enteré de quién eras, cuando me di cuenta de lo complicada que sería nuestra relación.

–¿Te gustaba desde hacía tanto tiempo? Vaya, yo llevaba fantaseando contigo solo desde...

–Siempre tienes que ganar, ¿eh?

Candy decidió que debía ser sincera.

–Yo te deseo desde la primera vez que me mentiste. Esta vez has ganado.

–Me parece que hemos ganado los dos –sonrió Derek besándola en la boca–. ¿Quieres probar la bañera de hidromasaje?

–Por supuesto que sí.

***

Un rato después, con Derek abrazándola por detrás, ambos tumbados en la cama, Candy se quedó mirando las luces de la ciudad y el lago.

–Gracias –le dijo.

–¿Tan bien he estado?

–Me refería a gracias por ayudarme con la declaración de Patrimonio Histórico del restaurante.

–¿Tan importante es para ti?

–Sí. La historia y la cultura son muy importantes para mí. No se pueden cuantificar en dólares, pero son más importantes que el dinero. Siempre he pensado que en la vida hay cosas mucho más importantes que el dinero.

–No acabo de entenderte.

–Eso es porque te resulta difícil entender que la belleza pueda ser más importante que el dinero. La gente tiene comida, casa y ropa, pero no tiene arte en su vida cotidiana, y el arte, la historia y la cultura son el alimento del alma.

–Pero el alma no puede sobrevivir sin el cuerpo, así que hace falta dinero.

–Cierto, pero tampoco puede sobrevivir el cuerpo sin el alma.

Derek se quedó pensativo.

–¿Tú crees que yo tengo alma?

Candy lo miró sorprendida.

–Por supuesto que sí.

Era cierto que Derek era un hombre dedicado de lleno a hacer dinero, pero Candy también había visto que tenía un lado humano. Se lo había demostrado con ella y también en la relación con su familia. Aquello le daba esperanzas. A lo mejor, se había equivocado al juzgarlo.

A lo mejor, podía tener con él algo más que una aventura.

Candy se dijo que era mejor no pensar en esas posibilidades porque lo más probable era que terminara con el corazón destrozado.

Eran casi las dos de la mañana y la presentación comenzaría a las diez. Después de la reunión, no habría razón para que estuvieran juntos, no habría razón para continuar su relación.

Candy apretó los dientes y se recordó que se había metido en todo aquello sabiendo lo que hacía, así que decidió que había llegado el momento de irse.

–Quédate –le dijo Derek.

No estaba dormido, como ella había creído.

–Quédate –insistió.

Aquella palabra zarandeó el mundo interno de Candy. Ella que había intentado por todos los medios que Derek no se le colara en el corazón…

–Está bien –contestó girándose hacia él.

Derek la besó en los labios y la abrazó. La iba a abrazar durante toda la noche. Se iba a despertar a su lado en la misma cama.

¿Qué estaban haciendo? ¿Hacia dónde iban?

–¿Derek?

–No lo sé, Candy –contestó Derek como si le hubiera leído el pensamiento.

Candy le acarició el rostro y Derek volvió a besarla. Candy lo abrazó con fuerza, intentando absorber su esencia y aplacar sus miedos.

Si aquello salía mal, iba a sufrir mucho.

Capítulo Doce

–Una presentación excelente –dijo Myrna cuando Derek hubo terminado.

Derek miró a Candy, que sonreía radiante. William Swinney y Miriam Jones, los otros dos miembros de la Sociedad Histórica que habían acudido a la presentación, parecían también muy satisfechos.

Myrna abrió una carpeta y sacó un contrato de varias páginas.

–El último voto lo tiene el consejo, que se reúne una vez al mes, pero me atrevo a vaticinar que será favorable –comentó entregándole el contrato a Derek–. Por favor, firme las páginas seis y once.

Derek hojeó el contrato preguntándose si tendría que entregárselo al departamento jurídico antes de firmarlo. De repente, la cláusula número siete le llamó poderosamente la atención.

No podía ser.

–¿Aquí pone que el consejo de la Sociedad Histórica puede vetar una venta futura?

–Entenderá usted que el consejo tiene que asegurarse de que los lugares declarados Patrimonio Histórico se conserven.

–No tenemos ninguna intención de vender el restaurante, se lo aseguro. Es parte del hotel. A lo mejor, podríamos alquilarlo, pero jamás lo venderíamos.

–Pero podrían ustedes querer vender el hotel –intervino William Swinney.

–¿Me están ustedes pidiendo que le dé a la Sociedad Histórica veto sobre la venta del hotel? Hemos pedido la declaración de Patrimonio Histórico para el restaurante, no para el edificio entero –le explicó Derek.

¿Se habían vuelto locos?

No podía consentir que nadie tuviera veto de venta sobre un bien inmueble de cien millones de dólares. Los accionistas se volverían locos.

–Es un contrato estándar –intervino seria Miriam.

–¿Estándar para quién? –se preguntó Derek en voz alta.

–Para la Sociedad Histórica –contestó Myrna.

–No puedo firmar esto –dijo Derek.

–Pero... –protestó Candy.

Derek la miró y vio que estaba nerviosa. Sentía mucho que se llevara aquella decepción, pero aquello era ridículo.

–Sería una irresponsabilidad por mi parte firmar esto –le explicó–. El hotel perdería valor inmediatamente en el mercado inmobiliario y quedaríamos atados de pies y manos... Según este contrato, el hotel entero sería Patrimonio Histórico. ¿Te haces una idea de lo que eso significaría para mi empresa en términos de beneficios?

–Sí, creo que me hago una idea –contestó Candy enfadada.

–No puedo defraudar a los accionistas –insistió Derek.

–Pero sí puedes defraudarme a mí, ¿verdad?

–No es lo mismo...

Candy se puso en pie.

–Tienes razón. No es lo mismo. Qué ingenua he sido –añadió yendo hacia la puerta.

Derek maldijo en voz baja.

Candy no entendía nada. Si el hotel fuera suyo y solamente suyo, se arriesgaría, pero él se debía a los accionistas.

Candy avanzó por el pasillo hacia el ascensor.

Derek le acababa de demostrar que lo único a lo que le tenía verdadera devoción en la vida era al dinero.

¿Cómo demonios había llegado a plantearse que, tal vez, aquel hombre de negocios fuera diferente? Aquel hombre ni tenía corazón ni tenía alma.

Estaba dispuesto a solicitar la declaración de Patrimonio Histórico siempre y cuando la inversión que tenía que hacer para ello fuera recuperada por otro lado, pero, en cuanto había visto que, tal vez, no la recuperaría y que la declaración de Patrimonio le iba a costar un dinero, había elegido retirarse y olvidarse del bien que podía hacer a la sociedad.

Había dejado en la estacada a la ciudad, a Canna Interiors y a ella.

Una cosa era haber perdido la declaración de Patrimonio Histórico. Desde luego, era un buen revés profesional. Otra muy diferente era haber perdido el corazón. Candy no estaba muy segura de poder recuperarse de aquello tan fácilmente.

Derek iba conduciendo, intentando dilucidar cómo iba a arreglar lo que había sucedido, cuando sonó su teléfono móvil.

–Ven a mi casa ahora mismo –le dijo Tyler.

–¿Qué ocurre?

–No sé qué le has hecho a Candy, pero mi mujer está como loca. Por lo visto, se han encontrado después de la presentación y Candy estaba muy disgustada.

–Es un malentendido.

–Pues arréglalo. ¡Si quieres volver a ver a Candy, arréglalo!

Derek sintió que se le partía el corazón ante la posibilidad de no volver a verla.

–¿Te ha contado Jenna lo que ha sucedido? He tenido que elegir y no he tenido más remedio que proteger los intereses de la empresa –le explicó Derek a su hermano.

–¿Me estás diciendo que no has encontrado

la manera de proteger la empresa sin destrozar a Candy y a Jenna?

–Desde luego, que fácil es hablar cuando solo se es accionista. Si el dinero hubiera sido solamente mío... –se lamentó Derek.

Si hubiera sido su dinero, ¿habría elegido el hotel o su relación con Candy? ¿Habría comprometido su futuro económico por el bien de la empresa de Candy y en el de la propia Candy?

¿Habría estado dispuesto a renunciar a la vicepresidencia de la empresa, al hotel y al dinero para hacer feliz a Candy?

¡Sí! El dinero no era nada comparado con Candy. Candy lo era todo.

–Nos vemos ahora mismo en mi despacho –le dijo Derek a su hermano.

–¿Ahora? Es sábado –le recordó Tyler.

–Sí, ahora mismo. Soy el vicepresidente de la empresa y convoco una asamblea extraordinaria de urgencia. Llama a Striker. Yo me ocupo de papá.

Derek siempre se había tenido por un hombre de principios. Aunque aquel día había actuado mal y, tal vez, Candy no le volviera a dirigir jamás la palabra, iba a arreglar lo que había estropeado.

Derek estaba en la presidencia de otra sala de juntas, solo que esta vez la sala era mayor y la mesa también era mayor y de mejor calidad porque su empresa iba muy bien.

Por primera vez en su vida, se cuestionó el valor del éxito en algo más que términos monetarios.

Entonces, se dio cuenta de que el dinero era la parte fácil. Así había sido siempre.

A continuación, se quedó mirando a sus hermanos, a sus padres y a sus cuñadas.

–Gracias por venir todos tan rápido –les dijo–. Os he convocado para deciros que dimito como vicepresidenta. Quiero vender mis acciones de la empresa.

–Derek –le dijo su padre poniéndose en pie.

–Déjame terminar.

Su padre se quedó estupefacto, pues era el presidente de la empresa y nadie se atrevía a interrumpirlo.

–Os propongo cambiar las acciones que yo tengo en la empresa familiar a cambio de ser propietario único del Quayside.

–¿Pero qué dices? –exclamó su madre confusa.

–Quiero que declaren el hotel Patrimonio Histórico, pero eso va a comprometer su precio en el mercado inmobiliario y nos va a atar las manos si un día queremos venderlo. No quiero que los demás accionistas os arriesguéis de esa manera.

–Pero estás dispuesto a asumir el riesgo tú solo –apuntó Tyler.

Derek asintió.

–Y yo creía que a mí me habían pillado –murmuró Tyler.

Jenna le dio un codazo en las costillas.

–Está completamente pillado –murmuró en bajo Striker.

–No vamos a dejarte solo en esto, hijo –comentó su padre–. ¿Votos a favor de que Derek cambie sus acciones por el hotel?

Nadie levantó la mano.

–¿En contra?

Todos levantaron la mano.

Derek miró a los allí reunidos, pensando frenéticamente la manera de convencerlos.

–Que levanten la mano aquellos que estén a favor de que el hotel sea declarado Patrimonio Histórico.

Todos levantaron la mano.

Derek no se lo podía creer. Aquello no tenía sentido. Era una locura. Les iba a costar un montón de dinero.

Jenna le dijo algo a su marido al oído y salió de la habitación.

–Me parece una idea estupenda declarar el hotel Patrimonio Histórico –comentó la madre de Derek.

–Pero... os va a costar dinero –objetó Derek.

–¿Y qué? Es nuestro deber cívico. Estoy muy orgullosa de ti por haberlo propuesto –contestó su madre.

–Tu madre tiene razón –intervino su padre–. Ya va siendo hora de que nuestra empresa comience a tener más participación en la comunidad.

Derek pensó que su familia se había vuelto loca. Era obvio que lo único que querían era ayudarlo.

–Por favor, quiero vender mis acciones.

–No las hemos aceptado –le recordó su padre.

–Porque queréis...

–Ayudarte –afirmó su madre–. Siempre te has ocupado tú de todo y ahora queremos devolverte el favor.

–Así que adelante con la declaración de Patrimonio Histórico –declaró Striker poniéndose en pie.

–Y no te olvides de darnos las gracias –sonrió Tyler.

Derek no se lo podía creer. Se quedó mirando a todos los miembros de su familia. Realmente querían hacerlo. Realmente querían ayudarlo.

–Gracias –les dijo con la voz tomada por la emoción.

Candy contestó el teléfono a la tercera vez.

–Vente para acá ahora mismo –le dijo Jenna.

–¿Dónde es acá?

–La sala de juntas de la empresa Reeves-DuCarter.

–Ni por asomo.

–No te vas a creer lo que ha hecho Derek.

–Sé perfectamente lo que ha hecho Derek.

–No, no lo sabes. Ha intentado dejarlo todo por ti.

Candy frunció el ceño.

–¿A qué te refieres?

–A todo. A su vida, a su imperio.

–¿Cómo?

–Por ti.

–¿Eh?

–Le acaba de decir a su familia que quiere vender todas sus acciones en la empresa familiar a cambio única y exclusivamente del Quayside.

–¿Y eso?

–¿No se te ocurre por qué iba a querer ser el único propietario del hotel?

–No.

–Obviamente para declararlo Patrimonio Histórico.

Candy tuvo que sentarse en el sofá.

–Ven ahora mismo –insistió Jenna colgando el teléfono.

Candy no se podía creer lo que estaba sucediendo. Por supuesto, nada más colgar el teléfono, salió corriendo de casa. A Derek le encantaba ser vicepresidente de la empresa de su familia, le encantaba hacer dinero y cerrar tratos.

Candy llegó a la empresa de la familia de Derek y Jenna salió a recibirla.

–Te quiere –le dijo su amiga.

–No digas tonterías –contestó Candy metiéndose en el ascensor.

Cuando las puertas volvieron a abrirse, nada más salir se encontró a Derek de frente.

–¿Candy?

Jenna se apartó disimuladamente.

—¿Qué haces? —le preguntó Candy a Derek.

—Iba a buscarte.

En aquel momento, la familia de Derek al completo salió de la sala de juntas, así que Derek agarró a Candy del brazo y la metió en un despacho.

—Jenna me ha dicho que te has deshecho de tus acciones.

—¿Y? ¿Te importa?

—Por supuesto que sí.

—Creía que me habías dicho que el dinero no era importante para ti.

—Pero sí lo es para ti. No puedes dejar tu trabajo, tu vida y tus sueños para hacerme feliz a mí.

—¿Por qué no?

—Porque no...

—¿Quieres que hagamos un trato?

—¿Qué trato?

—Conseguiré que declaren Patrimonio Histórico el hotel si te casas conmigo y tienes hijos conmigo —contestó Derek acercándose a ella.

—¿Hijos?

—Está bien, ya encontraré otra cosa con la que negociar lo de los hijos. De momento, cásate conmigo.

Candy sintió que el amor se expandía por su pecho.

—Venga, salimos ganando los dos —insistió Derek.

Candy sacudió la cabeza.

—Candy, te quiero.

Candy sintió unas inmensas ganas de llorar.

—Yo también te quiero, pero no puedo permitir que te deshagas así de tu empresa.

—Olvídate de la empresa. Si quieres que el hotel sea declarado Patrimonio Histórico, te vas a tener que casar conmigo —sonrió Derek.

—Me casaré contigo si mantienes tus acciones en la empresa de tu familia.

—Trato hecho —contestó Derek besándola.

—¿Así sin más?

Derek asintió y volvió a besarla.

Derek la quería. Iban a estar juntos para toda la vida. La declaración de Patrimonio Histórico no importaba.

En aquel momento, entró el padre de Derek.

—Tu madre se estaba preguntando si iba sacando los anillos de la abuela —sonrió—. Voy a decirle que sí.

—Parece que hemos llegado a un acuerdo —contestó Derek.

—Me has prometido que, a cambio de que me case contigo, no te vas a deshacer de tus acciones —le recordó Candy delante de su padre para que quedara bien claro.

—No te preocupes, hija, no le hemos dejado que lo hiciera —le dijo su futuro suegro cerrando la puerta y yéndose.

Candy miró a Derek, que le guiñó el ojo.

—¿Me has engañado?

—Más te vale tener cuidado conmigo, guapa —se rio Derek.

Epílogo

El vestido de novia de Candy era un vestido antiguo de seda con encajes. Lo había llevado la abuela de Derek en 1943. Candy también lucía el anillo de compromiso y la alianza de su abuela en la mano izquierda.

Candy nunca se había imaginado teniendo una boda así, pero ahora, sintiéndose como una princesa de cuento de hadas, la estaba disfrutando de lo lindo.

—No me puedo creer que estemos casados —suspiró mientras bailaba con su recién estrenado marido.

—Y yo no me puedo creer que me lo esté pasando tan bien. Cuando se casaron mis hermanos, solo podía pensar en que habían perdido su libertad.

—Tú también la acabas de perder.

—No me siento en absoluto como si la hubiera perdido. No he perdido nada casándome contigo. Al contrario. He ganado, he ganado tener a mi lado a la mujer a la que amo —sonrió Derek besándola.

—¿Vas a tirar el ramo de novia o qué? —le preguntó Erin al pasar bailando a su lado con Tyler.

–Claro, igual que tú.

–Ten cuidado. No me sigas en todo porque igual te encuentras embarazada antes de lo que tú te imaginas –sonrió Erin.

–¿Estás embarazada? –sonrió Candy.

Erin asintió.

–Enhorabuena –intervino Derek–. ¿Lo saben papá y mamá? –le preguntó a su hermano.

–Estamos esperando que vosotros volváis de la luna de miel para decírselo.

–No sé si voy a tirar el ramo entonces –comentó Candy.

Erin se rio y se alejó con una sonrisa bailando con su marido.

–Todavía no hemos negociado lo de los hijos –le recordó Derek.

–Tienes razón. ¿Qué me ofreces?

–¿Dos niñas a cambio de dos niños?

–¿Cuatro?

–¿No es suficiente?

–Seamos realistas.

–¿Qué te parece si empezamos con uno y vemos qué tal nos va?

–¿Ahora mismo?

–No, no tiene que ser ahora mismo, pero te advierto que mi madre no tardará en empezar a hablar del tema.

En aquel momento, se acercaron Jenna y Tyler.

–Por fin te veo de novio –sonrió su hermano.

–Sí, yo también he acabado cayendo –bromeó

Derek–. Bueno, ¿y vosotros también os habéis animado a tener hijos?

Jenna palideció.

–¿Cómo lo sabéis?

–¿Tú también estás embarazada? –exclamó Candy.

–Sí –sonrió su amiga.

–¿Se lo has dicho a papá y a mamá? –le preguntó Derek a su hermano.

–Estamos esperando a que vosotros volváis de vuestra luna de miel.

–Enhorabuena –dijeron Derek y Candy al unísono mientras la otra pareja se alejaba bailando con una sonrisa.

–Bueno, me parece que, como ya va a tener dos nietos seguidos, tu madre no nos va a presionar.

–Te advierto que a mí también me va apeteciendo –contestó Derek.

–Bueno, pero no utilices a tu madre como arma de presión. Solo los niños mimados necesitan a su madre para conseguir lo que quieren.

Derek se inclinó sobre ella y la besó por el cuello.

Candy suspiró y se apretó contra él.

–¿Cuándo se va a ir toda esta gente?

Derek sonrió.

–¿Lo ves? No necesito a mi madre para nada. Confío plenamente en mis poderes de persuasión.

–Te olvidas de que conseguí la alfombra y el candelabro.

–Pero, al final, te has casado conmigo.

–Claro, porque he conseguido los anillos antiguos a cambio –bromeó Candy levantando la mano izquierda.

–¿Me estás diciendo que te has casado conmigo para conseguir los anillos?

–Más te vale tener cuidado conmigo, guapo –sonrió Candy.

Secretos y escándalos
Sara Orwig

El futuro del rico ranchero Nick Milan estaba bien planeado: se casaría con la mujer que amaba y tendría una deslumbrante carrera política. Pero su relación con Claire Prentiss terminó de forma amarga. Por eso no estaba preparado para desearla de nuevo cuando se volvieron a encontrar. O, por lo menos, no lo estaba hasta que ella le contó su increíble secreto.

Perder a Nick había sido muy duro para Claire, y ahora estaba obligada a decirle que tenían un hijo. Sabía que el escándalo podía destrozar su carrera; aunque, por otra parte, el niño necesitaba un padre.

¿Tendrían por fin un final feliz?

Acepte 2 de nuestras mejores novelas de amor GRATIS

¡Y reciba un regalo sorpresa!

Oferta especial de tiempo limitado

Rellene el cupón y envíelo a
Harlequin Reader Service®
3010 Walden Ave.
P.O. Box 1867
Buffalo, N.Y. 14240-1867

¡Si! Por favor, envíenme 2 novelas de amor de Harlequin (1 Bianca® y 1 Deseo®) gratis, más el regalo sorpresa. Luego remítanme 4 novelas nuevas todos los meses, las cuales recibiré mucho antes de que aparezcan en librerías, y factúrenme al bajo precio de $3,24 cada una, más $0,25 por envío e impuesto de ventas, si corresponde*. Este es el precio total, y es un ahorro de casi el 20% sobre el precio de portada. !Una oferta excelente! Entiendo que el hecho de aceptar estos libros y el regalo no me obliga en forma alguna a la compra de libros adicionales. Y también que puedo devolver cualquier envío y cancelar en cualquier momento. Aún si decido no comprar ningún otro libro de Harlequin, los 2 libros gratis y el regalo sorpresa son míos para siempre.

416 LBN DU7N

Nombre y apellido	(Por favor, letra de molde)
Dirección	Apartamento No.
Ciudad	Estado	Zona postal

Esta oferta se limita a un pedido por hogar y no está disponible para los subscriptores actuales de Deseo® y Bianca®.
*Los términos y precios quedan sujetos a cambios sin aviso previo.
Impuestos de ventas aplican en N.Y.

SPN-03   ©2003 Harlequin Enterprises Limited

Bianca

Cuando aquello hubiera acabado, ambos tendrían que pagar un precio que jamás habrían imaginado…

Lisa Bond se había deshecho de las ataduras del pasado y ahora era una importante empresaria por derecho propio.

Constantino Zagorakis había salido de los barrios más pobres de la ciudad y, a fuerza de trabajo, se había convertido en un millonario famoso por sus implacables tácticas.

Constantino le robaría su virginidad y, durante una semana, le enseñaría el placer que podía darle un hombre de verdad…

EL PRECIO DE LA INOCENCIA
SUSAN STEPHENS

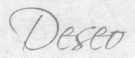

Emparejada con su rival
Kat Cantrell

Elise Arundel no iba a permitir que Dax Wakefield desprestigiara el exitoso negocio con el que emparejaba almas gemelas. El poderoso magnate dudaba de ella y estaba decidido a demostrar que todo era un fraude. Por ello, Elise decidió encontrarle la pareja perfecta al guapo empresario. Sin embargo, cuando su infalible programa lo emparejó con ella, ¿qué otro remedio le quedaba a Elise sino dejarse llevar por la irrefrenable pasión que ardía entre ambos?

*Se suponía que ella debía emparejarlo
con otra mujer...*

¡YA EN TU PUNTO DE VENTA!